MW00423357

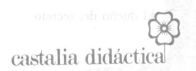

castalia didáctica

Director:
Pedro Álvarez de Miranda

Colaboradores de los volúmenes publicados:

Óscar Barrero, Ángel Basanta, Catalina Buezo,
Manuel Camarero, Antonio Carreira, Carmen Díaz Castañón,
José Enrique Martínez, Mercedes Etreros, José Luis García Martín,
M.ª Cruz García de Enterría, José María García Martín,
Miguel García-Posada, José Luis Girón, Fernando Gómez Redondo,
Antonio A. Gómez Yebra, Esteban Gutiérrez Díaz-Bernardo,
M.ª Teresa López García-Berdoy, Víctor de Lama, Abraham Madroñal Durán,
Ignacio Malaxecheverría, Juan M.ª Marín Martínez, José Enrique Martínez,
José Montero Padilla, Juan B. Montes Bordajandi, Ana Navarro,
Juan Manuel Oliver Cabañes, Antonio Orejudo, Felipe B. Pedraza,
Ángel L. Prieto de Paula, Arturo Ramoneda, Antonio Rey Hazas,
Josefina Ribalta, Rafael Rodríguez Marín, Joaquín Rubio Tovar,
Mercedes Sánchez Sánchez, Florencio Sevilla Arroyo,
Vicente Tusón, Elena Varela Merino

ANTONIO MUÑOZ MOLINA

El dueño del secreto

Con cuadros cronológicos,
introducción, bibliografía, texto íntegro,
notas y llamadas de atención,
documentos y orientaciones
para el estudio,
a cargo de

Epicteto Díaz Navarro

EDITORIAL CASTALIA

Queda prohibida la reproducción total o parcial de este libro, su inclusión en un sistema informático, su transmisión en cualquier forma o por cualquier medio, ya sea electrónico, mecánico, por fotocopia, registro u otros métodos, sin el permiso previo y por escrito de los titulares del Copyright.

© Antonio Muñoz Molina, 1997

© Editorial Castalia, 1997

Zurbano, 39 - 28010 Madrid - Tel. 319 58 57 - Fax 310 24 42

Página web: http://www.castalia.es

Diseño de cubierta: Víctor Sanz

Ilustración de cubierta: *El viento* (1966), de Martín Chirino

© VEGAP. Madrid, 1997

Impreso en España - Printed in Spain

I.S.B.N.: 84-7039-782-6

Depósito legal: M. 42.355-1997

SUMARIO

*A mis maestros y amigos de la Universidad
Complutense de Madrid y la Universidad
de California en Davis.*

Año	Acontecimientos históricos	Vida cultural y artística
1956	Disturbios estudiantiles en la Universidad Central de Madrid. Independencia de Marruecos.	Juan Ramón Jiménez, Premio Nobel de Literatura. Rafael Sánchez Ferlosio, *El Jarama*. Primera emisión de Televisión Española.
1957	Tratado de Roma: nace el Mercado Común Europeo.	
1958		Max Aub, *Jusep Torres Campalans*. Francisco Ayala, *Muertes de perro*.
1959	Revolución cubana. El presidente Eisenhower visita España. Nace ETA.	
1960		Italo Calvino, *Nuestros antepasados*.
1961	John F. Kennedy, presidente de Estados Unidos.	Juan Carlos Onetti, *El astillero*. Luis Buñuel, *Viridiana*.
1962	Comienza el Concilio Vaticano II.	Luis Martín-Santos, *Tiempo de silencio*. Antonio Buero Vallejo, *El concierto de San Ovidio*.
1963	Primer Plan de Desarrollo en España.	Julio Cortázar, *Rayuela*.
1964	Estados Unidos interviene masivamente en la guerra de Vietnam.	José Hierro, *Libro de las alucinaciones*.
1966	Ley de Prensa e Imprenta de Manuel Fraga.	Miguel Delibes, *Cinco horas con Mario*. Juan Goytisolo, *Señas de identidad*. Juan Marsé, *Últimas tardes con Teresa*. Pere Gimferrer, *Arde el mar*.
1967		Gabriel García Márquez, *Cien años de soledad*. Juan Benet, *Volverás a Región*. Antonio Buero Vallejo, *El tragaluz*.
1968	Manifestaciones de obreros y estudiantes en París. Segundo Plan de Desarrollo. Manifestaciones de la Iglesia contra el régimen franquista.	

Vida y obra de Antonio Muñoz Molina
Antonio Muñoz Molina nace en Úbeda (Jaén).
Comienza a estudiar Enseñanza Primaria en las Escuelas Profesionales de la Sagrada Familia de Úbeda.
Comienza el Bachillerato Elemental en el Colegio Salesiano «Santo Domingo Sabio» de Úbeda.

Año	Acontecimientos históricos	Vida cultural y artística
1969	Crece la represión policial; estado de excepción en todo el país. Juan Carlos de Borbón, designado sucesor a título de Rey.	
1970	Consejo de guerra en Burgos contra miembros de ETA. Aumento de las huelgas y cierre de la universidad.	Juan Benet, *Una meditación*. Camilo José Cela, *San Camilo, 1936*.
1972	Fin de la guerra de Vietnam.	Gonzalo Torrente Ballester, *La saga/fuga de J. B.* Álvaro Cunqueiro, *Vida y fugas de Fanto Fantini*.
1973	Asesinato de Carrero Blanco. Golpe de estado en Chile del general Pinochet.	Víctor Erice, *El espíritu de la colmena*. Carlos Saura, *La prima Angélica*. Luis Goytisolo, *Recuento*. Carlos Bousoño, *Las monedas contra la losa*.
1974	Arias Navarro, presidente del Gobierno. Revolución de los Claveles en Portugal.	Carmen Martín Gaite, *Retahílas*.
1975	Muerte de Franco. Subida al trono de Juan Carlos I.	Eduardo Mendoza, *La verdad sobre el caso Savolta*. Juan Goytisolo, *Juan sin Tierra*.
1976	Muere Mao Tse-tung. Golpe militar en Argentina. Referéndum para la reforma política.	Francisco Nieva, *La carroza de plomo candente*.
1977	Matanza de Atocha. Legalización del PCE. Primeras elecciones generales, en las que triunfa la UCD de Adolfo Suárez.	Vicente Aleixandre, Premio Nobel de Literatura. Juan José Millás, *Visión del ahogado*.
1978	Se promulga la Constitución Española.	Esther Tusquets, *El mismo mar de todos los veranos*. Jesús Fernández Santos, *Extramuros*.
1979	Segundas elecciones generales. Estatutos autonómicos de Cataluña y el País Vasco.	Dámaso Alonso recibe el premio Cervantes. Manuel Vázquez Montalbán, *Los mares del Sur*.

Vida y obra de Antonio Muñoz Molina
Del curso 1970-71 al de 1972-73 estudia el Bachillerato Superior (5.º y 6.º) y COU en el Instituto de Enseñanza Media «San Juan de la Cruz», de Úbeda.
Se matricula en Periodismo en la Facultad de Ciencias de la Información de la Universidad Complutense de Madrid. El curso comenzará en enero de 1974.
Se traslada a Granada, donde estudia y se licencia en Historia del Arte.
Entre 1979 y 1980 realiza el servicio militar en Vitoria y San Sebastián.

Año	Acontecimientos históricos	Vida cultural y artística
1980	Se forma el sindicato Solidaridad en Polonia.	Umberto Eco, *El nombre de la rosa.*
1981	Dimite Adolfo Suárez y UCD elige a Leopoldo Calvo Sotelo para sucederle. Intento de golpe de estado el 23 de febrero. Incremento del terrorismo.	Llega a España el *Guernica* de Picasso. José María Guelbenzu, *El río de la luna.*
1982	Entrada de España en la OTAN. El PSOE gana las elecciones generales. Primer gobierno de Felipe González. Guerra de las Malvinas.	Juan García Hortelano, *Gramática parda.*
1983		*Volver a empezar,* de José Luis Garci, gana el Óscar.
1984		
1985	Gorbachov es elegido Secretario General del Partido Comunista de la URSS.	Milan Kundera, *La insoportable levedad del ser.* José María Merino, *La orilla oscura.*
1986	España ingresa en la Comunidad Europea.	Rafael Moneo termina el Museo de Arte Romano de Mérida. Luis Mateo Díez, *La fuente de la edad.* Eduardo Mendoza, *La ciudad de los prodigios.*
1987		Félix de Azúa, *Diario de un hombre humillado.*
1988	Huelga general contra la política del Gobierno.	Pedro Almodóvar, *Mujeres al borde de un ataque de nervios.* Julio Llamazares, *La lluvia amarilla.* Bernardo Atxaga, *Obabakoak.*
1989	Cae el «muro de Berlín». Fin de la «Guerra fría».	Camilo José Cela, Premio Nobel de Literatura. Luis Landero, *Juegos de la edad tardía.*
1990	Es liberado Nelson Mandela.	Miguel Espinosa, *La fea burguesía.* Álvaro Pombo, *El metro de platino iridiado.*

Vida y obra de Antonio Muñoz Molina
De 1981 a 1988 trabaja como funcionario en el Ayuntamiento de Granada.
Publica *El Robinson urbano*, donde recoge artículos aparecidos en el *Diario de Granada* y en la revista *Olvidos de Granada* entre 1982 y 1983.
Aparecen *Diario del Nautilus*, donde reúne una serie de artículos publicados en el periódico *Ideal de Granada* entre 1983 y 1984, y su primera novela, *Beatus Ille*, que obtiene el Premio Ícaro.
Publica *El invierno en Lisboa*, galardonada al año siguiente con el Premio Nacional de Literatura y el Premio de la Crítica, y después llevada al cine por José Antonio Zorrilla.
En *Las otras vidas* se recogen cuatro relatos, escritos a partir de 1983.
Publica su tercera novela, *Beltenebros*, que será adaptada al cine por Pilar Miró; la película obtendrá el primer premio del Festival de Cine de Berlín.
El 20 de abril, en la Sala Olimpia de Madrid, se estrena la ópera *El bosque de Diana*, con libreto suyo y partitura de José García Román.

Año	Acontecimientos históricos	Vida cultural y artística
1991	Estalla la guerra en los Balcanes.	Miguel Delibes, Premio Nacional de las Letras Españolas. Francisco Ayala, Premio Cervantes.
1992	Firma del Tratado de la Unión Europea en Maastricht.	Olimpiada de Barcelona. Celebración del V Centenario del Descubrimiento. Exposición Universal en Sevilla.
1993	Arafat y Rabin firman la paz entre palestinos e israelíes. Muere don Juan de Borbón.	José Ángel Valente y Luis Goytisolo obtienen los Premios Nacionales de Poesía y Narrativa, respectivamente.
1994	Sublevación indígena en Chiapas, México. Guerra en Chechenia.	Javier Marías, *Mañana en la batalla piensa en mí. Belle époque*, de Fernando Trueba, obtiene el Óscar.
1995	Isaac Rabin es asesinado. Acuerdo de paz entre Bosnia, Serbia y Croacia.	Carmen Martín Gaite, Premio Nacional de las Letras Españolas.
1996	El Partido Popular de José María Aznar gana las elecciones generales.	Mario Vargas Llosa ingresa en la Real Academia Española.

Vida y obra de Antonio Muñoz Molina
Publica el ensayo histórico titulado *Córdoba de los Omeyas*. *El jinete polaco*, su cuarta novela, obtiene el Premio Planeta en 1991 y el Premio Nacional de Literatura al año siguiente.
Publica por entregas periodísticas *Los misterios de Madrid*, que meses después aparecerá en un volumen.
Aparecen *La realidad de la ficción*, que recoge cuatro interesantes ensayos sobre la escritura, *Nada del otro mundo*, una colección de relatos escritos en los diez últimos años, y, con Luis García Montero, publica *¿Por qué no es útil la literatura?* Pasa un semestre en la Universidad de Virginia (EE.UU.), y al regresar establece su residencia en Madrid.
Publica *El dueño del secreto*.
En *Las apariencias* recoge artículos periodísticos aparecidos entre 1988 y 1991. En *Ardor guerrero* narra sus experiencias durante el servicio militar.
Lee su discurso de ingreso en la Real Academia Española, sobre la obra de Max Aub. Actualmente es el académico más joven. Publica una nueva recopilación de artículos periodísticos titulada *La huerta del Edén. —Escritos y diatribas sobre Andalucía*.

Introducción

1. La escritura de Antonio Muñoz Molina

A Muñoz Molina le gusta recordar que nuestra iniciación en la literatura no se produce a través de los libros, que la ficción literaria ocupa una extensión mucho mayor que la de la letra impresa. El primer contacto del niño con algún tipo de narración, nos dice, se da por medio de la voz: en las nanas que le cantan, en los cuentos o las conversaciones que oye de sus mayores. Luego a la voz se sumarán los libros y otros medios que nos transmiten múltiples historias.

Y, en efecto, en las voces que oyó en su infancia, rememoradas intensamente en *El jinete polaco*, Antonio Muñoz Molina sitúa su primer contacto con la literatura. No es mi intención, desde esos orígenes, revisar la biografía del escritor (véase «Antonio Muñoz Molina y su tiempo»), pero sí creo que, antes de hacer un breve repaso de su narrativa, deberíamos recordar algo de lo que ha contado el escritor sobre su vocación literaria y ver algunas de las características de su obra.

En *La realidad de la ficción*, el texto en que más detenidamente ha reflexionado sobre lo que para él significa la literatura, cuenta dos experiencias de su niñez que subrayan la importancia de la voz, de la oralidad, en ese período en que la capacidad de aprendizaje es máxima: la primera de ellas fue una historia que le contó su abuelo sobre una mujer a la que

enterraron viva; la segunda, repetida muchas veces, es la escucha de folletines y novelas de la radio en el comedor familiar. Ambas experiencias debieron de impresionar su imaginación, porque aparecerán relatadas muchos años después en *El
jinete polaco*, la primera de ellas, si no me equivoco, convertida
en la enigmática historia de una hermosa mujer que fue emparedada en vida en un caserón nobiliario.

La infancia y parte de la juventud de Antonio Muñoz Molina transcurren en Úbeda, en unos años en que la cultura oral
tenía una importancia decisiva. En ese ámbito las primeras lecturas del autor, según ha comentado en algunas entrevistas,
fueron muy diversas: las obras de Julio Verne, el *Quijote*, *Orlando furioso*, un folletín titulado *Rosa María*. Más tarde sus lecturas se multiplican: los poemas de Pablo Neruda, Federico
García Lorca y Gustavo Adolfo Bécquer, las narraciones de
Jorge Luis Borges, Juan Carlos Onetti y Adolfo Bioy Casares, Joseph Conrad y Graham Greene, de manera que ya en sus primeros artículos, publicados en 1982, puede comprobarse su
enorme bagaje cultural.

Habría que añadir que cuando inicia la publicación de esos
primeros artículos, en la ciudad de Granada, el contexto cultural y social es muy distinto al que existía pocos años antes.
La llegada de la democracia supuso, junto a múltiples cambios que no podemos enumerar aquí, el final de la censura y
de numerosos medios de control del poder político en el mundo de la cultura. Refiriéndonos a lo específicamente literario,
dentro de la narrativa en lengua española vemos que, junto a
los autores que, como Muñoz Molina, comienzan a publicar
en los 80, hay varios grupos o generaciones de escritores. Por
un lado, unos pocos supervivientes del exilio, como Francisco
Ayala, cuya situación se ha normalizado tanto en la difusión
de sus obras como en algunos merecidos premios. Por otro,
aquellos que publican gran parte de su obra en la posguerra,
la generación de Camilo José Cela, Miguel Delibes o Gonzalo
Torrente Ballester, y la llamada «generación de los 50», la de

Luis Martín Santos, Rafael Sánchez Ferlosio, Juan Benet, Juan y Luis Goytisolo, que a esas alturas ha alcanzado ya la consagración. Y, finalmente, los que comienzan a publicar con la llegada de la democracia o pocos años antes, para los que se han propuesto diversos marbetes, siendo el de «generación del 68», que sugiere Santos Sanz Villanueva, probablemente el más útil.

Sanz Villanueva señala que en este grupo son notas características la vuelta a la narración clásica, al gusto por contar historias, el abandono del experimentalismo, la valoración de lo personal frente a lo social y la diversidad de tendencias. Tal diversidad se comprueba en la enumeración de algunos de esos autores: Eduardo Mendoza, José María Merino, Javier Marías, Juan José Millás, Félix de Azúa, Luis Mateo Díez, Manuel Vázquez Montalbán, Soledad Puértolas, etcétera.

Otros críticos, como José-Carlos Mainer, Constantino Bértolo o María Dolores de Asís, también han analizado lúcidamente la narrativa de estos últimos años. (Todas las referencias, de aquí en adelante, podrán encontrarse en la Bibliografía.) Revisar sus conclusiones ocuparía mucho más espacio del que dispongo, pero quizá debería apuntarse que hoy no encontramos suficientes criterios que diferencien a esos escritores del «68» de los que aparecerán en los años 80: además de Muñoz Molina podría citarse, entre otros, a Julio Llamazares, Javier García Sánchez, Almudena Grandes, Jesús Ferrero, Justo Navarro, Alejandro Gándara, Luis Landero, etc. En mi opinión, ambos grupos presentan en líneas generales los rasgos citados, reciben igualmente en muchos casos una clara y beneficiosa influencia de la literatura anglosajona y latinoamericana, y su producción es realmente diversa: novelas de intriga, policíacas, históricas, metanovelas, novelas intimistas, de aventuras...

Francisco Rico ha descrito ejemplarmente la escena literaria tras la llegada de la democracia. En su opinión, la desaparición de la censura fue casi simultánea al abandono de la

literatura comprometida o social, que desde principios de los
50 se había extendido excesivamente, debido a la situación política española. Tanto esta literatura como el experimentalismo
de los años 70 serían los últimos episodios de la agonía de las
vanguardias en nuestro país. El experimentalismo, influido por
teorías procedentes de las ciencias humanas, como el estruc-
turalismo, había limitado la libertad creativa con programas y
leyes similares a los de las vanguardias históricas, y al mismo
tiempo producía obras de excesiva artificiosidad. A partir de ahí,
entraríamos en lo que algunos denominan «posmodernidad», en
un contexto cuyas únicas normas son las leyes del mercado (véase en AA.VV., *Los nuevos nombres: 1975-1990*).

En esta situación caracterizada por la libertad de que go-
zan los creadores, por una conciencia de libertad en todos los
campos, en la que el escritor pasa de tener una responsabilidad frente a la sociedad a tenerla sobre todo frente a sí mismo, lo que para algunos supone una «re-privatización» de la
literatura, Muñoz Molina defenderá una literatura que no se
recluya en el sujeto, que transmita emociones sin que ello implique una renuncia al conocimiento.

En algunos artículos y en *La realidad de la ficción*, nos dice
que la literatura, la novela, no sólo nos ayuda a conocer mejor
la realidad sino también la ficción. El papel de la literatura en
nuestra vida no es secundario, porque leer una novela o escribirla son dos manifestaciones de una cualidad indispensable
en el hombre: la imaginación.

Esta reivindicación de la imaginación, sin duda, no trata solo de defender la literatura del utilitarismo, de las concepciones estrechas de la realidad. Muñoz Molina trata de mostrar
que el enfrentamiento realidad/ficción es una falsa dicotomía.
Para él, si enfrentamos la literatura a la vida real corremos el
riesgo de cercenar la facultad de imaginar, una capacidad que
a lo largo de la historia ha hecho que el hombre modifique in-
cansablemente lo real.

Una frase de Juan Carlos Onetti, que Muñoz Molina ha

citado en alguna ocasión, resume sus concepciones: «La literatura significa respeto por la vida: respeto por los seres que la hacen y la pueblan». Así, en el origen de su escritura está ese respeto al otro, y la pasión de mirar y de aprender lo que desconocemos. La literatura no puede limitarse al ensimismamiento del escritor, a la reclusión en su propio mundo, sino que debe implicar una apertura a la realidad, que hace que junto a la voz propia del novelista se escuchen muchas voces.

Hay que añadir, no obstante, que Muñoz Molina no cree haberse aproximado siempre a esos objetivos. Años después de publicar sus tres primeras novelas, quizá con excesivo rigor, ha tomado cierta distancia respecto a ellas, criticando su culturalismo, la utilización de muchos materiales literarios y artísticos en su construcción, a la que luego nos referiremos. Confiesa que hace años prefería en secreto la literatura a la vida, que le seducían los argumentos ingeniosos y llenos de trampas, y solo más tarde habría descubierto que el artificio y la técnica no son suficientes, que en la literatura debe existir una verdad artística, una implicación vital. Por esta razón, Elvira Lindo, en el prólogo a *Las apariencias*, señala que con *El jinete polaco* la narrativa de Muñoz Molina toma una nueva dirección, en la que aumenta la presencia de lo personal, de lo autobiográfico, iniciándose así lo que podríamos ver casi como una segunda etapa en su producción.

En cualquier caso, tanto si vemos en su obra dos etapas como si pensamos que hay sólo una intensificación de algunos aspectos, la gran mayoría de sus ideas han variado poco desde sus primeras publicaciones. Entre ellas, y en la línea de las apreciaciones de Francisco Rico que hemos citado, está el rechazo de la distinción que frecuentemente se establece entre dos tipos de novelistas: los que escriben novelas con argumento y los experimentales. Estos últimos serían los que renuevan el lenguaje, y la literatura, despertando la conciencia de los lectores.

Tal distinción y tales presupuestos son inciertos, ya que

nuestro autor señala que tanto en las novelas con argumento como en las experimentales el escritor debe intentar conseguir la máxima expresividad. La técnica, para él, no es lo más importante, porque hay que emplearla para contar una historia.

Ya en 1990, Muñoz Molina subrayaba la extrañeza que le produce que algunos lectores alaben su estilo y la fluidez de su escritura (véase 1.1. *El estilo*). En su opinión, el estilo es algo que debe preocupar a aquellos que se dedican profesionalmente al análisis de una obra, y que debe pasar inadvertido al lector común: el estilo no se debe notar demasiado, la técnica debe ser casi invisible. De este modo, escribir una novela es fundamentalmente contar una historia, una historia que resulte interesante para el lector, y que no se quede en mero ejercicio de estilo.

Ello no implica, claro está, que Muñoz Molina escriba novelas más convencionales que las que se escribían en los años 60 (que respondían a otras convenciones), o que sus patrones genéricos sean sobre todo decimonónicos. Diversos estudiosos han señalado el conocimiento y la asimilación en sus novelas de las obras de Marcel Proust o James Joyce, que van mucho más allá de los homenajes y citas que aparecen en *Beatus Ille* y en *El invierno en Lisboa*.

Mientras que en las novelas experimentales de los años 60 y 70 desaparecía el personaje o quedaba constituido como una entidad puramente verbal, en la mayoría de las actuales es un componente fundamental. Una de las características que podemos encontrar en los de Muñoz Molina es la búsqueda de la autenticidad y de una vida que no traicione los propios valores. El protagonista de *Beatus Ille*, como luego veremos, busca en sí mismo y en el pasado, en el escritor Jacinto Solana, esa autenticidad, la verdad que otros han tratado de ocultar. Biralbo, en *El invierno en Lisboa*, sólo puede vivir cuando se deja llevar por su pasión amorosa y por la música. Lo mismo les ocurre a los protagonistas de *Beltenebros*, *El jinete polaco* y otras narraciones: viven desorientados o ausentes, buscan su identidad en el pasado o en las ilusiones casi perdidas de la juventud, y nos muestran que no podemos dejar de valorar el amor o la libertad, que reivindicarlos en el mundo actual no constituye una actitud ingenua.

Las peripecias de esos personajes se sitúan en el pasado reciente, en los «dorados» 80, que se critican humorísticamente en *Los misterios de Madrid*, en la transición en *El dueño del secreto* y *Ardor guerrero*, pero también en la guerra civil y la posguerra, en *Beatus Ille* o en *El jinete polaco*, hundiendo sus raíces esta última en el siglo XIX. Así pues, creo que no podemos hablar de un ámbito estrictamente privado en la novelística de Antonio Muñoz Molina: parte del sujeto y de la experiencia personal, pero las referencias a un ámbito social e histórico son innegables.

Por otro lado, y creo que de manera complementaria respecto a sus narraciones, los artículos periodísticos le han servido a nuestro autor entre otras cosas para exponer, a veces en interesantes polémicas, sus convicciones intelectuales.

Escribir, para él, es un oficio como cualquier otro, y por ello cree que el papel del escritor en nuestro país, como en otros países europeos, está sobrevalorado y en ocasiones mitificado. En su opinión los círculos literarios viven aislados, tienen una visión distorsionada de la realidad, ocupándose sólo de sus problemas profesionales, de un mundo restringido que es sólo una pequeña parte de la sociedad. Habría bastantes escritores a los que sólo les interesa la literatura y no el mundo real.

Por ello la posición del escritor en la sociedad actual no debería ser entendida como la figura del intelectual situado en un plano superior: el escritor debe hablar como ciudadano, como un ciudadano que se relaciona por medio de las palabras con su sociedad.

Desde ese punto de vista Muñoz Molina ha expresado su visión de la sociedad actual y los problemas que la aquejan. Estos últimos años, por ejemplo, en *Las apariencias* o *La huerta del Edén*, ha venido insistiendo en que se da, especialmente en nuestro país, una negación de valores fundamentales, de ideas que mantenía la tradición europea desde la Ilustración: la idea de que el saber es liberador, el valor de la solidaridad o de la enseñanza pública. Igualmente no ha dejado de criticar el individualismo salvaje que parece triunfar hoy día por todas partes, ni de señalar la falta de autocrítica en la izquierda respecto a su pasado: su ruptura con el humanismo o el desprecio con el que hablaban los simpatizantes del «socialismo real» de la libertad en las democracias burguesas.

Esta defensa de ideas y valores que proceden de la tradición progresista y racionalista hace que difícilmente podamos ver en su obra una muestra del relativismo «posmoderno». Si por posmodernidad se entiende un eclecticismo que rechaza la responsabilidad, o la convicción de que nada puede hacerse en relación a la sociedad y sus valores, tales posiciones estarían muy alejadas de las suyas. Ahora bien, según señalábamos antes, y ya en el terreno literario, si la posmodernidad es el rechazo de la vanguardia que se ha convertido en académica, si supone recuperar la libertad de elección, la defensa de la tradición y la libertad artística frente a los dictados de la modernidad, no cabe duda de que Muñoz Molina no puede sentirse ajeno a ella.

1.1. *El estilo*

Todos aquellos que han estudiado la obra de Antonio Muñoz Molina, a pesar de sus objeciones, coinciden en subrayar la importancia de los rasgos estilísticos de su prosa. Ricardo Gullón apuntaba que la capacidad de verbalización, de expresar con palabras sentimientos o emociones complejas, «es la nota más firme de su estilo, fino y elegante hasta cuando el asunto le conduce a las honduras de la sombra». Esa capacidad, en efecto, ya se encuentra en su primer libro, pero también se han señalado algunas variaciones entre aquella obra y las últimas.

Andrés Soria cree que la tendencia a los enunciados largos visible en sus primeras narraciones —«marcada por la hipotaxis, los adverbios, el subjuntivo, el condicional, las metáforas y símiles»— decrece en las últimas, donde encontramos una mayor contención, un estilo más directo y escueto (véase en H. Felten y U. Prill, eds., *La dulce mentira de la ficción*).

Entre esos rasgos estilísticos, los más característicos son la comparación y la adjetivación. Las comparaciones que emplea Muñoz Molina, las más frecuentes con «como», no son adornos de la narración que podamos suprimir. En ellas, los términos que se comparan, aunque estén alejados, suelen pertenecer al ámbito común de experiencias de cualquier lector. Veamos, por ejemplo, en *Beatus Ille*, cómo el narrador nos explica el efecto que produce la risa de uno de los personajes negativos de la novela, la madre del tío Manuel: «La risa de doña Elvira, le explicó luego a Inés, una carcajada corta y fría rompiéndose como una copa de vidrio y brillando por un instante en aquellos ojos que ignoraban la complacencia y la ternura» (p. 72). Como ha señalado Emilio Alarcos, en esta y en otras comparaciones se observa el cuidado del escritor en los más mínimos detalles. La comparación añade intensidad y matices cuya pérdida afectaría claramente a la expresividad del relato.

Lo mismo puede decirse de la adjetivación en sus obras, de su predilección por el adjetivo inesperado. En uno de los numerosos ejemplos que podemos encontrar, Biralbo, el protagonista de *El invierno en Lisboa*, sueña con la ciudad en que vive la mujer amada: «Con frecuencia deambulaba en sueños por un Berlín arbitrario y nocturno de iluminados rascacielos y faros rojos y azules sobre las aceras bruñidas de escarcha, una ciudad de nadie en la que tampoco estaba Lucrecia» (p. 55). En esa misma novela encontraremos una «puerta hostil», «grandes almacenes sombríos», un «puente rojo y borrado sobre las aguas por una bruma de ópalo». En cada caso creo que

puede verse que la complejidad lingüística está motivada por
un contenido concreto que se quiere transmitir al lector.

Pere Gimferrer, en un brillante prólogo a la reedición de
El Robinson urbano, apunta también el uso de la sinestesia, del
verso e incluso de la greguería, al modo de Ramón Gómez
de la Serna. No obstante, cabe añadir que, al menos en la bibliografía que conozco, no contamos con un estudio porme-
norizado del estilo de Muñoz Molina. Quizá esto se deba al
interés que han despertado otros aspectos de su escritura, en
particular la utilización de los géneros y las conexiones de sus
obras con otros textos; o quizá se deba a esa evolución de su
prosa en los últimos años hacia un lenguaje más escueto, menos
perceptible. En cualquier caso, ese estudio debería ampliarse;
por ejemplo, entre otros aspectos, creo que podrían analizar-
se imágenes y adjetivación en relación con lo pictórico, ya
que, si recordamos la formación del autor en Historia del
Arte, tendríamos que pensar que sus indicaciones de color,
formas, y algunas veces muy precisas sobre la luz, no siempre
tienen un origen cinematográfico.

2. La narrativa de Antonio Muñoz Molina

Una vez esbozadas algunas características de la obra de
Muñoz Molina, creo que conviene detenerse en sus narraciones. No trataré de presentar un análisis completo y sistemáti-
co, pero sí señalaré ciertos aspectos que puedan ser útiles como introducción a su lectura, terminando con unas líneas de-
dicadas a sus artículos y ensayos.

2.1. *Beatus Ille*

La primera novela de Muñoz Molina, *Beatus Ille* (1986), narra la investigación de un joven, llamado Minaya, acerca de

la vida y la obra de Jacinto Solana, un olvidado escritor de
tiempos de la II República. Para realizarla viaja de Madrid a
Mágina, un lugar ficticio en Andalucía, y se instala en casa de
su tío Manuel, que había sido amigo del escritor. En su breve
estancia, Minaya vivirá una apasionada historia de amor con
Inés, una de las jóvenes que trabaja en la casa.

La investigación sobre Solana, en principio, parece más
bien una excusa del personaje, porque en realidad viene huyendo de la situación política que se vivía en Madrid a finales
de los años 60 (véase documento 4). Sin embargo, gradual-
mente su implicación en esa búsqueda será mayor, al ir des-
cubriendo las huellas del escritor, entre ellas un libro con el
mismo título que la novela que leemos: «Beatus ille, pensó
Minaya, qué alta vida y oficio deseó hasta su muerte y no tuvo nunca» (p. 50).

Al poco de llegar, el interés del protagonista, y el del lector,
se centrará en un misterio que descubre casualmente: la mujer de su tío Manuel, Mariana, a la que también amaba el escritor Solana, no murió por un disparo accidental el año 1937,
como todo el mundo suponía, sino que fue asesinada.

Hay que apuntar, por otra parte, que el lector no sabe quién
es el narrador; según avanza el relato, la autoridad de sus afirmaciones hace que nos preguntemos por su identidad, de manera que el punto de vista constituye un nuevo interrogante.

No voy a desvelar aquí estos u otros enigmas que surgen en
la novela, pero sí quiero apuntar que no son el único foco de
atracción del lector. La crítica ha señalado en sus primeras novelas que la precisa construcción de la trama es una de las
muestras del talento del escritor. *Beatus Ille* puede ser inclui-
da en el género policíaco, o de intriga, porque el protagonista,
aunque no sea un detective, lleva a cabo una investigación
semejante a una policíaca. La resolución de los diferentes misterios se sitúa en primer plano, pero también resulta de fundamental importancia, junto a otros temas, una recuperación
crítica de la historia que puede no resultar a primera vista.

En la novela, a través del recuerdo del escritor y la experiencia de Minaya, se reconstruyen varios momentos históricos: primero, los años 30 y la guerra civil; en segundo lugar, el año 47, cuando, después de cumplir condena por su participación en la guerra civil, sale de la cárcel Jacinto Solana, y supuestamente muere; y, finalmente, los últimos años de la posguerra, situándose en 1969 el presente desde el que se narra. En cada una de esas temporalidades se reflejan las experiencias de unos personajes que resultan marginados o distorsionados por la historia oficial.

Subrayamos este aspecto de la novela porque se ha afirmado que la guerra civil, aunque sea esencial para el desarrollo de los acontecimientos, aparece sólo como un pretexto. No podemos compartir esa opinión si observamos que la guerra determina la vida de los personajes, de los que la vivieron y de los que nacieron mucho después. Algunos, como Solana, el tío Manuel y Mariana, tuvieron un período de esplendor antes de la guerra, pero ésta trae, de una manera u otra, la infelicidad a todos, incluso a los que figuran entre los vencedores, como doña Elvira, la madre de Manuel, o Utrera, el escultor que tuvo su momento de gloria en los primeros años de la posguerra. La actualización del conflicto, además, se da en algunos momentos de máxima tensión: por un lado, el linchamiento de un espía del bando nacional; por otro, el asesinato del padre de Jacinto Solana, sospechoso de haber actuado en el bando republicano, y, aunque sea de una manera indirecta, la silenciada ejecución de Mariana.

Las últimas consecuencias de la guerra también las padece Minaya al ser detenido por la policía en la situación convulsa de Madrid a finales de los sesenta, antes de huir buscando refugio en su Mágina natal y sumergirse en el pasado para rescatar, en la figura de Solana, parte de la cultura que la guerra y treinta años de posguerra intentaron borrar.

Los testimonios del pasado le llegan a Minaya en diferentes versiones, en relatos orales y en documentos, que contrastan en muchos casos con las versiones que oficialmente se reconocen como verdaderas.

Pero no sólo nos encontramos con nuevas versiones de hechos pasados; también se nos impulsa a la reflexión sobre éstas. Creo que en este sentido tenemos que interpretar el que Medina, el médico del tío Manuel, uno de los informadores del protagonista, señale que el auténtico rostro de Mariana no aparece reflejado en las fotos que guarda Manuel en su casa, y que su belleza sólo fue captada en el dibujo que hizo un pintor llamado Orlando. Es decir, es más acertada la visión subjetiva del artista que otra que en principio tenemos por más objetiva.

Además Minaya es un personaje fascinado por la literatura y lleno de admiración hacia los escritores cuya trayectoria se vio cortada por la guerra o tuvieron que padecer el exilio, por lo que construye en base a sus ideas previas el personaje que quiere recuperar del olvido.

Al final de la novela sabremos que los manuscritos de Solana que el protagonista ha ido encontrando no fueron escritos en 1947 y, se nos dice, que al tratarse de obras literarias no son un reflejo totalmente exacto del pasado. No se resuelven todos los enigmas planteados, sino que se instala la duda respecto a las soluciones que poco antes parecían definitivas.

Creo que de esta manera se nos sugiere que incluso los documentos que parecen más fiables pueden ser imprecisos. El personaje y el lector, por tanto, tienen que dudar de la completa veracidad de la historia y en consecuencia deberíamos reflexionar sobre el conocimiento que tenemos de nuestro propio pasado.

Nuestras construcciones del pasado, nuestra visión de la historia no están nunca exentas de distorsiones, por más que nos aproximemos a lo realmente ocurrido. El acceso que tenemos a la verdad histórica siempre es limitado y revisable, y, como se muestra en *Beatus Ille*, muchas veces imaginamos una historia excesivamente literaria.

La novela mostraría así la borrosa frontera entre lo real y lo ficticio, la verdad y la mentira, el desengaño que disuelve algunas importantes ideas. Sin embargo, creo que las conclusiones que podemos obtener de su lectura no son negativas: desengañarse supone abandonar la mentira, y los valores éticos de los personajes, el recuerdo de la amistad de Manuel y Solana, o la historia de amor de Inés y Minaya, no resultan desvalorizados.

Como suele ocurrir con una primera novela, *Beatus Ille* no llegó al gran público, pero tuvo una buena acogida crítica en la prensa del momento. Especialmente se señaló la voluntad de estilo de Muñoz Molina, la precisión evocativa de su lenguaje. El reconocimiento de la crítica y el de un gran número de lectores le llegaría con su siguiente novela.

2.2. *El invierno en Lisboa*

En efecto, *El invierno en Lisboa* (1987) reunía una serie de valores que no pasaron inadvertidos: un argumento muy interesante, la presencia de elementos cinematográficos y del mundo del jazz, y un estilo preciso y elegante que continuaba el de sus obras anteriores.

El invierno en Lisboa cuenta la intensa historia de amor de Santiago Biralbo, un pianista de jazz, y una mujer llamada Lucrecia, que está casada con un dudoso comerciante de cuadros y objetos artísticos llamado Malcolm. Lucrecia y Biralbo se conocen en San Sebastián, a comienzos de los años ochenta, pero a partir de ahí tendrán una serie de encuentros y desencuentros en esa ciudad, en Lisboa y en Madrid.

Un pequeño y valioso cuadro de Cézanne, del que se ha apoderado Lucrecia, desencadena la persecución de Malcolm y un gángster llamado Toussaints Morton, dando lugar a una serie de escenas de acción y suspense que nos recuerdan a la mejor «novela negra» (Dashiell Hammett, Raymond Chandler) y al cine negro americano. Así, desde el final del primer capítulo, la descripción del protagonista crea la tensión que se mantendrá a lo largo del relato: «Cuando lo vi volver, alto y oscilante, las manos hundidas en los bolsillos de su gran abrigo abierto y con las solapas levantadas, entendí que había en él esa intensa sugestión de carácter que tienen siempre los portadores de una historia, como los portadores de un revólver. Pero no estoy haciendo una vaga comparación literaria: él tenía una historia y guardaba un revólver» (p. 15).

Quizá, entre otros puntos de interés, no esté de más referirnos a su aspecto más comentado: la citada utilización de materiales que proceden del cine o de la literatura, de situaciones o personajes que están construidos a partir de otros textos o películas. Este procedimiento ya se daba en *Beatus Ille*, novela que su autor relaciona con *Jusep Torres Campalans*, de Max Aub, y lo encontraremos en algún otro caso.

Muñoz Molina ha reconocido la influencia del cine en *El invierno en Lisboa*, en particular de las películas de Alfred Hitchcock, pero, en su opinión, no por ello puede ser catalogada como «negra» o como un pastiche de géneros.

Debería añadirse, según creo, que ni en esta ni en otras obras es necesario conocer, previamente a la lectura, ninguna novela o película para seguir el argumento e interpretarlo. Esto es, aunque algunos lectores reconozcan citas y textos aludidos, no se trata de obras en que el placer del lector se base en un juego de identificación de fuentes, influencias o citas.

En muchos lugares, la utilización de materiales de origen literario o cinematográfico constituye un homenaje a los autores favoritos del escritor y un reconocimiento de su deuda con ellos. En otros casos, creo que estamos ante una parodia más o menos directa, o una visión irónica, de un texto anterior. En *El invierno en Lisboa*, según ha comentado el autor, hay escenas y diálogos que muestran influencia del cine, pero en los personajes las películas cumplirían una función parecida a la que desempeñaban los libros de caballerías en el *Quijote*. Es decir, los personajes, al menos parcialmente, actúan y se ven a sí mismos como si fueran los protagonistas de una película, lo que no creo que en muchas ocasiones sea visto positivamente.

Hay, en esta línea, un diálogo en el que en las palabras de Biralbo y Lucrecia resuenan otras conocidas de la película *Casablanca*: «—Tócala otra vez. Tócala otra vez para mí. —Sam, dijo él, calculando la risa y la complicidad, Santiago Biralbo» (p. 80). Ésta es, en mi opinión, la referencia más evidente en todo el libro, y en ella no creo que pueda verse un juego para críticos o lectores expertos.

Al examinar el desarrollo del argumento vemos que uno de los aciertos de la novela se da en la elección del punto de vista desde el que se narra. El narrador es un amigo del protagonista, cuyo nombre desconocemos, y desempeña un papel secundario en la trama. Lo que cuenta procede sobre todo de las conversaciones que mantiene con Biralbo, y secundariamente de lo que él ha visto o le han contado otras personas. Por ello hay que tener en cuenta que la narración nos llega «filtrada»: podemos percibir que, primero, la narración depende de la subjetividad de Biralbo, de su particular visión o su memoria, ya que los hechos han ocurrido años antes, y también que, en el presente, trata de distanciarse de su pasado.

Cuando el narrador encuentra a Biralbo en Madrid, éste adopta un punto de vista escéptico, distanciándose irónicamente de Lucrecia, porque sus relaciones han supuesto para él una experiencia dolorosa. Del amor absoluto hacia ella, nos dice, ha pasado a un estado próximo a la insensibilidad: «Me he librado del chantaje de la felicidad [...] Sí, me entiendes. Seguro que te has despertado una mañana y te has dado cuenta de que ya no necesitabas la felicidad ni el amor para estar razonablemente vivo. Es un alivio, es tan fácil como alargar la mano y desconectar la radio» (p. 14).

A este matizado punto de vista hay que añadir las modificaciones que dependen del narrador, un personaje del que no sabemos mucho, salvo su afición a la bebida y a los clubes de música de jazz, que no recuerda claramente muchas conversaciones con Biralbo en San Sebastián y en Madrid: «El abuso de la soledad y de la cerveza me conducía a iluminaciones arbitrarias» (p. 11). Afirmaciones como ésta aparecen con relativa frecuencia en el relato. Cuando Biralbo le cuenta su relación con Lucrecia, sabemos que ambos beben demasiado y por tanto deberíamos poner entre paréntesis la completa objetividad de los hechos. Esta confluencia de perspectivas, en la tradición cervantina, hace que la ambigüedad se instale en la médula misma de la ficción.

Junto al amor, el segundo tema importante en esas conversaciones es la música. Ambos son fundamentales para Biralbo. Si en *Beatus Ille* encontrábamos la fascinación por la literatura, aquí la música cumple una función similar. Habría que apuntar que Biralbo se expresa como un músico, mientras que el narrador confiesa que es «impermeable a la música»; no obstante, cuando éste hable de la música de su amigo podremos percibir su sensibilidad poética: «En aquel disco parecía que fuera el único, que nunca hubiera tocado nadie más una trompeta en el mundo, que estaba solo con su voz y su música en medio de un desierto o de una ciudad abandonada» (p. 16).

La música, como la vida de Biralbo, es sólo presente, y por eso para él los discos no tienen valor. Los días dejan de fluir, el tiempo se detiene, cuando se separa por primera vez de Lucrecia. Su ausencia hace que deje de actuar y se dedique a dar clases de música. Vemos que tanto en el amor como en el arte busca la justificación total de su vida.

Finalmente, podríamos añadir que en esta novela ha llamado la atención la representación espacial, la localización de la trama en lugares que no se asemejan a los tradicionales en la novela española de posguerra. Se ha señalado la internacionalización de los espacios, la aparición de ciudades extranjeras y el hecho de que Madrid apenas se distinga de otras grandes ciudades.

A veces esos espacios parecen irreales, y se mezclan unas ciudades y otras, como ocurre, por ejemplo, en la vertiginosa huida de Biralbo por las calles de Lisboa, y esto ha llevado a que algunos lectores consideren que la descripción de esa ciudad, y la de San Sebastián, se basan en débiles recuerdos o en las descripciones de una guía de viajes: serían el reflejo de un conocimiento literario y no directo del escritor.

Sin embargo, creo que puede comprobarse que esas descripciones no tienen tal origen. Por un lado sabemos, a través de algunas entrevistas, que Muñoz Molina, mientras redactaba la novela, hizo un breve viaje a Lisboa, o que pasó en San Sebastián casi todo el año 1980, mientras cumplía el servicio militar; por otro, creo que deberían contrastarse esas descripciones con las de Madrid. En conclusión, parece que si el espacio es fantasmagórico o responde a clichés no se debe a un origen libresco, sino a la búsqueda voluntaria de un efecto, a la intención de sumergir a los personajes y al lector en una atmósfera que suscite cierta extrañeza.

2.3. *Beltenebros*

La tercera novela de Muñoz Molina se sitúa genéricamente en la línea de las dos anteriores, pero habría que matizar que en este caso más que al modelo policíaco se aproxima al de la novela de espías.

Este tipo de novela cuenta con pocos precedentes en nuestra literatura, al menos de calidad, y en casi todos suelen encontrarse las mismas dificultades que hasta hace poco sufría el cine español en los pocos *thrillers* que producía. No obstante, en ese terreno resbaladizo, Muñoz Molina logra una novela densa e inquietante, en la que maneja con total destreza los recursos del género.

Beltenebros (1989) cuenta la historia de un hombre que se hace llamar Darman, miembro de una organización secreta de la resistencia antifranquista. Darman, con otro nombre que desconocemos, combatió durante la guerra civil en el lado republicano, y al ir al exilio, después de pasar la frontera francesa, decidió instalarse en Inglaterra. Allí se gana la vida en una tienda de libros antiguos y grabados, y ocasionalmente viaja por Europa, o vuelve a España, para realizar misiones que le encarga la organización.

El comienzo de la novela se sitúa en los años 60, cuando el narrador-protagonista ya da muestras de cansancio y cree que sus actividades en la resistencia son estériles y que los jefes de su organización viven en un mundo irreal. Cuando está casi decidido a abandonar la lucha le encargan una nueva misión; nos dice, en la memorable frase con que comienza el libro: «Vine a Madrid para matar a un hombre a quien no había visto nunca».

Se trata de un presunto traidor, al que llaman Andrade, que sería responsable de la caída en manos de la policía franquista de importantes miembros de la organización. Sin una clara motivación, el protagonista llega a Madrid para llevar a cabo la operación, pero sus dudas aumentarán al recordar una acción similar ocurrida el año 45, cuando le ordenaron ejecutar a otro traidor, llamado Walter.

El pasado impregna lo que ocurre en el presente y por ello Darman relata varias veces la muerte de Walter, mostrándonos su crueldad. Como ejecutor, durante todos esos años ha tratado de olvidar aquel hecho, pero le sigue persiguiendo el remordimiento. También, entre los elementos del pasado que se repiten, destaca una joven llamada Rebeca Osorio, la amante de Andrade, muy parecida a otra mujer del mismo nombre que en los años cuarenta era escritora de novelas románticas y compañera de Walter.

El reparto de personajes se completa con el comisario Ugarte, un policía cuya personalidad presenta rasgos atípicos: es un «cazador tranquilo», sabe idiomas, y ninguno de los prisioneros de la organización ha podido verle nunca.

El traidor y el héroe, el verdugo y la víctima, la verdad y la mentira, borrosamente separados, como rasgos provisionales, son temas fundamentales en la novela. A las dudas del protagonista sobre su pasado, sobre su propia identidad, se unirán las que le asaltan sobre la culpabilidad de Andrade.

Raija Fleischer y algunos lectores han señalado acertadamente que esta novela se inserta en la tradición cervantina (véase en H. Felten y U. Prill, eds., *La dulce mentira de la ficción*). Otros la han analizado como ejemplo de narración posmoderna, y, de nuevo, se ha insistido en la utilización que en ella se hace de elementos cinematográficos: en los diálogos, en la construcción de los personajes y en los espacios.

No obstante, el autor ha matizado que lo que muchas veces se señala como técnicas cinematográficas en realidad procede de la literatura. Y en este sentido cabe recordar que muchos diálogos del «cine negro», su agilidad y rapidez, las inflexiones irónicas y humorísticas, proceden de novelas (antes citamos a Hammett y a Chandler). La insistencia en los elementos visuales no debe hacernos olvidar algo obvio: en una novela todos los elementos significativos están en el nivel verbal, en las palabras, mientras que el mejor guión cinematográfico siempre está incompleto sin su materialización en la pantalla.

No parece necesario extenderse en ver la minuciosidad «verbal» con que se articula la intriga, en la acumulación de detalles precisos que atrapan la atención del lector: la lámpara de carburo todavía caliente que encuentra Darman en el almacén donde se escondía el traidor, los periódicos extendidos por el suelo para que delaten la llegada del intruso, etcétera.

Creo que, como en su anterior novela, si los lugares o los personajes le resultan familiares al lector, si recuerdan otras novelas o películas, se debe a la búsqueda de un efecto concreto. Así, por ejemplo, no se nos muestra la casa en la que Darman lleva una vida corriente en Inglaterra, pero sí lo vemos en aeropuertos, hoteles, en el cabaret en que actúa Rebeca

Osorio o en el cine, lugares que se relacionan con sus actividades clandestinas. En ellos, la sensación de que ya los hemos
visto antes les confiere una aire de irrealidad, a veces de pesadilla, que percibimos con el personaje.

En otro plano, podríamos pensar, como sugieren algunos críticos, que la novela combina mitos antiguos y modernos para
construir una mitología personal propia del cine.

De todo ello, de la teatralidad buscada de algunas escenas,
podemos hacer una lectura irónica, pero no creo que tal lectura implique una banalización de la resistencia antifranquista. En mi opinión, *Beltenebros* no es un texto exclusivamente
lúdico, que pretenda sólo la diversión del lector, ya que para
la comprensión de la novela es fundamental su situación en
el contexto histórico de la posguerra y la oposición clandestina
al régimen de Franco. Lo que sí se muestra, a finales de los
años ochenta, es la distancia temporal que nos separa de ella
y que hace posible su ficcionalización crítica.

2.4. *El jinete polaco*

Según se ha señalado antes, *El jinete polaco* (1991) es la novela en que se muestra un cambio en la trayectoria del escritor. En su cuarta novela Muñoz Molina decide prescindir de
temas y técnicas que le han hecho ganar numerosos premios,
el reconocimiento del público y de la crítica, y busca una escritura diferente, más personal, que se distancie de sus anteriores obras.

En este cambio parece haber influido su deseo de alejarse
de algunos de los clichés que se repiten al hablar de su obra,
como el jazz y el cine, o la utilización de referencias cultu-
rales. Ese alejamiento se da efectivamente en *El jinete polaco*,
pero junto a lo novedoso también mantiene otras relaciones
con anteriores novelas, ya que, por ejemplo, retoma el esce-
nario de *Beatus Ille*, Mágina, y la búsqueda en el pasado de

un personaje que, como Minaya, ha salido de su ambiente rural y entra en contacto con una sociedad urbana.

El jinete polaco se divide en tres partes, sucesivas cronológicamente, en las que se reflejan tres grandes fragmentos en la vida de Manuel, el protagonista, con un claro contenido autobiográfico.

La primera sección se titula «El reino de las voces» y reconstruye la infancia del personaje. Su título se explica por la importancia que tienen para el niño, cuando empieza a conocer el mundo, las voces que escucha, especialmente las de sus mayores.

La segunda, «Jinete en la tormenta», titulada según una canción del grupo Doors, se detiene en la juventud rebelde del protagonista, cuando le gustaría ser estrella de rock y huir de su ciudad, y en las vidas de otros personajes, el comandante Galaz y su hija Nadia. En el presente desde el que se narra la historia, Nadia mantiene una relación amorosa con el protagonista y el diálogo entre ellos será el motor de la narración.

La tercera parte tiene igual título que la novela, y proviene de un cuadro atribuido a Rembrandt que el autor vio durante una visita a Nueva York. En esta sección el personaje ya tiene más de treinta años, trabaja como intérprete en diversas ciudades del mundo, y la acción transcurre probablemente a comienzos de los años noventa.

A lo largo de la novela el protagonista lleva a cabo un dilatado viaje en la memoria personal y, en cierta medida, en la colectiva. Al pasado del protagonista, según observamos, se suman los recuerdos de la vida de sus padres, de sus abuelos o del bisabuelo Manuel, que influyen decisivamente en él. Muchos recuerdos de su niñez son compartidos: las canciones infantiles eran las mismas que se cantaban muchos años antes; los terrores de su infancia son los que también padeció su madre cuando era niña. La madre y el abuelo, sobre todo, le cuentan sus vidas, las de otros antepasados que no llegó a conocer y otros habitantes de Mágina.

De ahí que en esta novela, especialmente en la primera parte, sea fundamental la oralidad, el conjunto de relatos que el personaje escucha de niño y que marcan el límite de sus propias raíces.

Junto a las narraciones, actúan como estimulantes de sus recuerdos y su imaginación las fotos de Ramiro Retratista, el fotógrafo que se propuso registrar a todos los habitantes de la ciudad, y que casualmente han llegado a sus manos. Las fotos son a veces la única huella del pasado, de un pasado del que nadie habló al personaje, de personas significativas en su vida, y a partir de ellas trata de reconstruir el tiempo desconocido que está en el origen de su identidad.

Hay que añadir que esa búsqueda en el pasado no supone una visión nostálgica del mismo. Aquí, al igual que ocurre en *El dueño del secreto* o en *Ardor guerrero*, el pasado es visto desde el presente, en contraste con él. Los acontecimientos pasados pueden explicar el presente pero no lo desvalorizan, entre otras razones porque desde la perspectiva del personaje no es lógico sentir nostalgia de unos tiempos realmente difíciles.

Así, veremos al protagonista pasar de una sociedad campesina a la sociedad de consumo en Nueva York o Chicago: de la temporalidad circular en que vivieron sus familiares y que envuelve su infancia, salta a la temporalidad lineal característica del mundo moderno. La intención de escapar del mundo rural que manifiesta el protagonista en «Jinete en la tormenta» sólo se lleva a cabo parcialmente. El resultado, años después de salir de Mágina, será una personalidad desarraigada, «mestiza», según la denominación del autor, en la que hay elementos de esos dos mundos: mientras camina por las calles de Nueva York va tarareando una canción de Miguel de Molina. Mantiene una doble perspectiva: desde Mágina ve las ciudades modernas, y desde éstas su ciudad natal.

Para no extenderme demasiado no apunto otros interesantes aspectos de la novela, las historias de Nadia y su padre, el heroico comandante Galaz, la de Ramiro Retratista y otros personajes que son fundamentales en el relato, pero sí añadiré algo acerca de la combinación de géneros, o mejor, de tipos de novela, que encontramos en ella.

Ya hemos señalado el contenido autobiográfico y la importancia que tienen para el personaje los relatos orales. En estos últimos encontramos también elementos fantásticos, por ejemplo, en las referencias a los «juancaballos», una especie de centauros, y otros personajes fabulosos que el niño y otros personajes ven o imaginan. Pero quizá resulte aún más significativo que en el comienzo de sus recuerdos surja una narración que tiene tintes de folletín decimonónico: la historia de una mujer que apareció emparedada en la casa de las Torres, una de las antiguas casas de Mágina. Esa misteriosa mujer es mencionada repetidas veces, pero sólo en las últimas páginas conocemos su historia completa, o al menos una de las versiones de esa historia.

Además, la segunda sección puede verse como una «novela de aprendizaje», que se inserta en la narración amorosa de Nadia y el protagonista, en el diálogo que mantienen.

Esa multiplicidad de formas, de diferentes voces y tipos narrativos, nos muestra un terreno complejo en que magistralmente se funden lo real y lo imaginario, la memoria y la invención.

2.5. *Los misterios de Madrid*

El carácter humorístico de *Los misterios de Madrid* (1992) contrasta notablemente con el de las novelas que hasta aquí hemos examinado. Puede pensarse que por ello la ambición de esta novela es menor, pero creo que no debe tomarse como un producto secundario en la escritura de Muñoz Molina, entre otras razones porque en ella encontramos elementos de autoparodia de alguno de sus procedimientos narrativos, y por su contenido crítico, que la sitúa en la línea de *El dueño del secreto*, y de algunas narraciones breves como «Nada del otro mundo».

El título de esta novela es significativo: alude a los diversos folletines titulados «misterios», especialmente *Los misterios de París* de Eugenio Sue, que tuvieron gran éxito en la literatura decimonónica europea. Debemos recordar que *Los misterios de Madrid* antes de publicarse como libro apareció por entregas en el diario *El País*, como lo hacían los folletines, y que, al igual que en ellos, cada capítulo termina en un clímax, en un punto de interés que empuja al lector a comprar la siguiente entrega. Por tanto, desde los primeros capítulos, resulta evidente la utilización paródica de elementos del folletín al contar una historia que tiene unos claros puntos de referencia en la España actual.

Los elementos fundamentales del argumento tampoco ofrecen muchas dudas: a Lorencito Quesada, un aristócrata de su pueblo natal, «don Sebastián Guadalimar, conde consorte de la Cueva», le encarga la misión de encontrar una figura de Semana Santa que ha sido robada, el Santo Cristo de la Greña. Sospecha, al haber encontrado un peluquín en el lugar de los hechos, de Matías Antequera, un «astro» de la canción española que preside una cofradía rival. Esta búsqueda policíaca lleva a Lorencito a Madrid, donde se complica en una serie de aventuras más o menos folletinescas.

El humor y la parodia están presentes también en la caracterización de los personajes. Pensemos, por ejemplo, en la personalidad del protagonista, Lorencito Quesada, un joven empleado de unos almacenes de tejidos que tiene ambiciones periodísticas, pero que ha obtenido pocos éxitos en el periódico local y en el semanario *El Caso*. Su visión de sí mismo como reportero y de lo que le ocurre, desde una perspectiva en la que se combinan la ingenuidad, las excesivas lecturas periodísticas y el temor ante la gran ciudad, da el tono del relato.

Otros personajes aparecen en función de la trama, como corresponde a este tipo de narración, que no pretende ofrecer un profundo análisis psicológico. Presentan muchas veces rasgos arquetípicos y la parodia es rápidamente reconocible: así, don Sebastián Guadalimar lleva barba blanca, un pañuelo de seda al cuello y emplea términos en francés en su conversación; Matías Antequera, el «astro» de la canción española, es el autor de los «inmortales» pasodobles *Soy de Mágina* y *Carnicerito torero*, ha vuelto de una gira triunfal por Guatemala, etcétera.

En otros casos nos encontramos con una ruptura de las expectativas del lector. De esa forma, la mujer fatal, de la que se enamora el personaje, es aquí una bailaora de flamenco, pero además resulta ser licenciada en Psicología y Antropología, y algo resabiada.

Esa visión humorística hace que el lector siempre esté situado, junto al autor, en un plano superior a los personajes, observando el mundo ficticio. Pero la distancia emocional que nos separa de Lorencito está siempre calculada. Es un personaje muchas veces risible pero de una humanidad elemental, y por ello la ironía nunca llega al sarcasmo.

La ciudad, el Madrid que recorre el protagonista, es un Madrid reconocible: va de la estación de Atocha al Palacio Real o al Viaducto. En las reflexiones y comentarios del protagonista percibimos el contraste entre las experiencias en su pueblo natal y el temor y la sorpresa ante la gran ciudad.

No es casual que en algunos carteles que ve Lorencito se haga referencia a los acontecimientos del año 92. A lo largo de la novela observamos que el humor implica una crítica de tipos y costumbres característicos de la España de los últimos años, y un rechazo de cierta visión de las diferentes culturas españolas que subraya aspectos superficiales, y que últimamente parece haber cobrado nuevas fuerzas. Según esta visión se debería potenciar una imagen de lo típico andaluz o lo típico madrileño, una imagen para turistas en la que los madrileños bailan el chotis, y los andaluces, flamenco.

En resumen, nos encontramos con una versión folletinesca, paródica, de la intriga policíaca que Muñoz Molina ha utilizado en varias ocasiones. Además hay que añadir que no deberíamos minusvalorar la figura de Lorencito: también aparece, como personaje secundario, en *El jinete polaco* y es el protagonista de una narración breve titulada «El cuarto del fantasma», manteniendo siempre su caracterización algunos puntos de enlace con la juventud del escritor.

En *Los misterios de Madrid* la revelación final de la identidad del narrador supone una vuelta de tuerca más. Muchas de sus apreciaciones, que a lo largo de la novela habíamos leído como irónicas, podrían cobrar otro sentido.

2.6. Memorias: *Ardor guerrero*

Después de *Los misterios de Madrid* Muñoz Molina publicó *El dueño del secreto* (1994), de la que nos ocupamos más adelante, y un volumen de memorias titulado *Ardor guerrero* (1995).

De nuevo, al referirnos a esta última obra, tenemos que señalar sus novedades formales, ya que si *El jinete polaco* y *El dueño del secreto* exploran territorios que se sitúan entre la ficción y la autobiografía, *Ardor guerrero* da un paso más allá en lo personal.

A este respecto podríamos añadir que aunque desde 1975, por razones evidentes, ha aumentado el número de autobiografías publicadas en nuestro país, son mucho menos frecuentes las memorias limitadas a un corto espacio temporal.

Las memorias que aquí se nos presentan no retratan personajes famosos ni hechos históricos relevantes, sino una experiencia en muchos aspectos común, que se sitúa en un marco histórico reciente: el servicio militar de un recluta en Vitoria y San Sebastián durante los últimos meses de 1979 y el año 1980.

La narración, desde el capítulo tercero, progresa linealmente hasta el final de la mili del protagonista, intercalándose algunas retrospecciones y saltos hacia el futuro, que nos llevan hasta el momento en que se escribe el libro, catorce años después.

Antes de comenzar a escribir el libro, el narrador vive una experiencia que guarda cierta semejanza con los meses del servicio militar y estimula sus recuerdos de aquel período. Durante una estancia en Estados Unidos, en 1993, en una habitación solitaria, su alejamiento de lo que ha sido su vida hasta entonces, la falta de referencias personales, le traen a la memoria los atardeceres que vivió en un cuartel de San Sebastián. En ambos casos, alejado del mundo conocido, siente la pérdida de su identidad. En el cuartel, nos dice, fue obligado a olvidar su personalidad civil e incluso dejaron de llamarle por su nombre: «Yo me llamaba J-54.» Quizá no esté de más recordar que en obras anteriores los nombres son importantes en relación a la búsqueda de la identidad de los personajes: el protagonista de *El invierno en Lisboa*, Santiago Biralbo, cambiará su nombre por el de Giacomo Dolphin; en *Beltenebros* también el protagonista ha cambiado su nombre, sólo sabemos que el nuevo es Darman, y la identidad de «Beltenebros», el nombre clave del traidor, se descubre en las últimas páginas.

En *Ardor guerrero* podemos ver que el narrador manifiesta de diversas maneras su rechazo de la vida militar y la atmósfera cuartelera. Pero lo que nos cuenta no se organiza en una exposición ensayística o argumentativa. Más que la exposición de ideas importa aquí la narración de las experiencias de un joven, vistas años después. Los recuerdos iniciales dan una idea de lo que vendrá después y explican su intensidad y precisión, aun con el paso de los años: el miedo es el sentimiento que articula su memoria, un miedo que reaparece en sus sueños hasta mucho después. Ese miedo se une en su memoria a los terrores primitivos de la infancia que la sensación de indefensión hace salir a flote. Durante meses la vida militar consistió para el protagonista en una serie de amenazas de castigo físico y psicológico que se dan además en un contexto extremadamente violento, como era el de Vitoria y San Sebastián en aquellos años.

En este libro encontraremos varias marcas de la referencia autobiográfica: el subtítulo, «Una memoria militar»; la cita inicial de Montaigne: «Así pues, lector, yo mismo soy la materia de mi libro»; las fotografías del autor vestido de militar; y diversas referencias internas en el texto. Pero la verdad en que se fundamenta lo autobiográfico, «esto ocurrió realmente», no debe hacernos olvidar que el personaje reconoce que debe inventar algunas cosas que él cree ciertas, y que la materia narrada es novelesca; esto es, con los mismos sucesos que aquí se narran podría haberse construido una novela. Pensemos, por ejemplo, en el momento en que aparece en el despacho del capitán un informe, con el sello de «alto secreto», donde se indica que el protagonista debe ser vigilado durante seis meses (véase, parcialmente, en el documento 3); o en personajes claramente novelescos, como el sargento que aparece muerto de un tiro en la cabeza, o el brigada protector, paisano del protagonista, etcétera.

Las referencias a la literatura, a las lecturas en ratos perdidos, nos muestran otro aspecto importante del libro: se trata también de un retrato del artista en ciernes, de alguien que quiere llegar a ser escritor y ve el mundo desde esa perspectiva. En las últimas líneas, la cita de una de las novelas que leyó, *La línea de sombra* de Joseph Conrad, resulta clarificadora de la perspectiva narrativa: «Uno avanza. Y el tiempo avanza también: hasta que uno descubre ante sí una línea de sombra que le advierte que la región de la primera juventud también debe ser dejada atrás.»

2.7. Narraciones breves: *Nada del otro mundo*

Nada del otro mundo (1993) recoge la mayor parte de las narraciones breves publicadas por Muñoz Molina. Son doce narraciones escritas entre los años 1983 y 1993, tres de las cuales formaban parte de una recopilación anterior, *Las otras vidas* (1988): la que daba título a ese libro, «El cuarto del fantasma» y «La colina de los sacrificios»; quedó excluida únicamente «Te golpearé sin cólera».

Según indica el autor en el prólogo, los relatos de *Nada del otro mundo* fueron escritos por encargo, y aparecieron antes en periódicos, revistas y otras publicaciones, de manera que el libro habría surgido al margen de otras tareas. Sin embargo, el lector puede comprobar que ni ese origen diverso ni la distancia temporal que separa sus relatos afectan a la unidad del conjunto. El estilo, los lenguajes que emplea el autor en estos relatos, no presentan grandes variaciones con respecto a las novelas, pero sí añaden nuevos matices y profundizan en algunos temas de su narrativa.

Los relatos de *Nada del otro mundo*, de manera esquemática, podrían clasificarse en tres grupos: aquellos que narran sucesos extraordinarios, que pueden inclinarse a lo fantástico o bien al terror; los que critican costumbres y tipos de nuestra sociedad contemporánea; y, finalmente, los que reflejan la soledad de individuos que viven en un ambiente urbano. Tales características, no obstante, no se dan aisladas en la mayoría de los casos, y así, por ejemplo, son individuos solitarios los que viven experiencias sorprendentes, o la crítica social aparece en relatos fantásticos.

Esto último es lo que ocurre en el extenso relato que da título al libro. En «Nada del otro mundo» un escritor se ve sorprendido por unos hechos extraordinarios, propios de una pesadilla. Lo fantástico aquí no sólo se da en una atmósfera cotidiana, realista, sino que aparecen algunos datos que relacionan al personaje con el autor, que pudieran ser autobiográficos, como es haber obtenido el Premio de la Crítica. Los recuerdos de su pasado nos darán una visión irónica de las costumbres y el lenguaje de los ambientes progresistas en los años 70.

Este escritor contará atemorizado lo que le ocurre, pero poco a poco el lector comenzará a dudar, y no sabrá si los hechos son ciertos, si son producto de una enfermedad o de su fantasía.

También la combinación de lo fantástico y la crítica social aparece en «Las aguas del olvido», donde otro escritor conoce a unos personajes ricos y desocupados, y, en cierta medida, en «El cuarto del fantasma», un relato humorístico en el que se refleja una atmósfera provinciana presente en otras narraciones del autor: junto al ya conocido Lorencito Quesada, forman tertulia el poeta laureado, el librepensador o el indiano acaudalado. Por otro lado, el humor y la crítica social son componentes fundamentales en el titulado «Las otras vidas», cuyos personajes forman parte de ciertos ambientes del mundo de la cultura en los años 80.

En otros casos los acontecimientos extraordinarios son el centro de la narración. Así, en «La colina de los sacrificios», una historia sorprendente basada en un hecho real, encontramos una intriga de tipo policíaco. Y en este y otros relatos, como «Si tú me dices ven», o el antes mencionado «El cuarto del fantasma», vemos que una de sus características singulares es la permeabilidad existente entre la realidad cotidiana y lo fantástico, la naturalidad con que surge lo inexplicable, de manera que los fantasmas en los dos últimos relatos citados producen más sorpresa que temor.

Finalmente, hay en este libro algunos relatos en los que encontramos individuos solitarios, que deambulan por escenarios urbanos en los que el amor suele ser un espejismo y a los que sólo les queda la posibilidad de sobrevivir. El lirismo, la visión poética de una realidad que puede ser atroz, no es exclusivo de este grupo, pero sí es característico en algunos, como el magnífico titulado «La poseída», o «El hombre sombra», cuyos protagonistas ni siquiera se atreven a dirigir la palabra a la mujer amada. Como en ellos, el protagonista de «Extraños en la noche» cree poder encontrar una salida en su vida rutinaria, pero el encuentro que tiene con una mujer sólo sirve para aumentar la soledad de ambos.

Ni siquiera la intimidad erótica, en «Un amor imposible», o la imaginación del escritor de novelas baratas que protagoniza

«Borrador de una historia», ofrecen más que un escape temporal a la incomunicación. Paradójicamente, la amistad que sí rompe la incomunicación se da en «La gentileza de los desconocidos», donde el protagonista se verá involucrado en una serie de asesinatos.

A las novelas y relatos aquí comentados hay que añadir tres narraciones breves aparecidas en la prensa diaria que, según me ha indicado el autor, formarán parte de un próximo libro: «Carlota Fainberg» (1994, recogida en el volumen conjunto *Cuentos de La isla del tesoro*), «Entre todas las mujeres» (1995) y «En ausencia de Blanca» (1996); y una novela, de inminente publicación, que se titulará *Plenilunio*.

3. Artículos y ensayos

Hasta ahora Muñoz Molina ha publicado cuatro volúmenes que recogen sus artículos periodísticos, *El Robinson urbano* (1984), *Diario del Nautilus* (1986), *Las apariencias* (1995) y *La huerta del Edén* (1996); dos ensayos, el histórico *Córdoba de los Omeyas* (1991) y el ya mencionado *La realidad de la ficción* (1993), sobre su experiencia de la escritura; y, también sobre este último tema, varios textos en diversas publicaciones (véanse en «Antonio Muñoz Molina y su tiempo»).

Para los primeros contamos con dos excelentes prólogos que ya hemos citado, el de Pere Gimferrer a *El Robinson urbano* y el de Elvira Lindo a *Las apariencias*. A ellos remito al lector para paliar la brevedad de estas líneas.

El Robinson urbano fue la carta de presentación de su autor y en él ya se daban de alta buena parte de las cualidades de su escritura. Este libro trata de la ciudad de Granada, una ciudad que recorre el Robinson de Muñoz Molina como si fuera el mundo. Se nos presenta, desde una perspectiva cambiante, una ciudad conocida, cotidiana en sus gentes y en sus lugares, pero también una ciudad impregnada por la historia y por la cultura, por lo que se ha escrito sobre ella, de manera que su presente está teñido siempre por el pasado.

En su heterogéneo recorrido el paseante intenta atrapar los destellos que sólo puede percibir un observador atento. Encontramos yuxtapuestos la Alhambra y los barrios más pobres, la poesía y las decisiones del Ayuntamiento: veremos, por ejemplo, cómo significativamente se incorpora, casi de manera imperceptible, una cita de Garcilaso («¡Oh dulces prendas!») a la descripción de unos papeles manchados de grasa.

Como en este libro, en el *Diario del Nautilus* se combinan la literatura y la actualidad cotidiana, las noticias aparecidas en los periódicos y citas de los escritores favoritos de Muñoz Molina. El *Nautilus* de Julio Verne le sirve al narrador para adoptar otra perspectiva fluida, como la de Robinson. Ambos libros corresponden a esa etapa en que el autor ha censurado después su «intoxicación» literaria, el preferir la literatura a la vida, pero, como sus primeras novelas, quizá incluyen más realidad de lo que parece a primera vista. En todo caso hay que decir que los recuerdos literarios y artísticos, los mitos clásicos, no forman parte de un tiempo cerrado y alejado, ni se exhiben como mera erudición, sino que forman parte de un presente en el que muchas veces se intenta atrapar lo fugaz, lo momentáneo. Por citar un solo artículo, sirva de ejemplo el recuerdo de Julio Cortázar en «Orfeo Nemo», escrito poco después de su muerte, donde las alusiones a la obra de Cortázar, la elipsis y la contención emocional se combinan en un magnífico homenaje antinecrológico.

Las apariencias reúne, como Elvira Lindo señala, una serie de artículos que se distancian de los anteriores y nos avisan de los cambios literarios de Muñoz Molina. Al estar escritos entre 1988 y 1991, el último de ellos cuando terminaba *El jinete polaco*, reflejan los años de transición hacia su segunda etapa, de manera que en ellos encontraremos personajes, voces y situaciones que después aparecen en la citada novela y en textos posteriores, como *Ardor guerrero.*

En este caso, junto al elogio y las citas de sus escritores preferitos, Cervantes, Graham Greene o Bioy Casares, encontramos el aviso al lector para que evite que la literatura suplante a la vida o, después del emocionante comentario de una película de Wim Wenders, una crítica a la mirada excesivamente cultural que mitifica el cine.

La realidad entra de modo más contundente en *La huerta del Edén. —Escritos y diatribas sobre Andalucía—.* En efecto, como indica el subtítulo, el libro trata de Andalucía, aunque también haya artículos sobre Cervantes, Salman Rushdie, Rafael Juárez o José Carlos Rosales.

Estos artículos, según creo, están entre los que de manera más explícita reflejan las convicciones ideológicas del escritor, desde el rechazo del racismo y la violencia terrorista a la crítica de algunos excesos nacionalistas. Ya nos hemos referido en la primera parte de esta Introducción a algunas de las posiciones que defiende, y por tanto no las repetiremos aquí. Finalmente, habría que señalar que quedan sin recoger todavía un buen número de artículos que semanalmente publica en el diario *El País* bajo el título de «Travesías».

Tampoco repetiré lo ya dicho acerca de *La realidad de la ficción,* de manera que para terminar estas páginas sólo me queda referirme a *Córdoba de los Omeyas.*

En *Córdoba de los Omeyas* se cuenta el apasionado encuentro del escritor con la ciudad de Córdoba, con su presente y un pasado del que mil años después no queda casi nada. «Yo buscaba a Córdoba en Córdoba», nos dice el autor al comienzo, y quizá en esa búsqueda reside una de las virtudes del libro: su capacidad de hacer presente el pasado, de dar vida en el presente a lo que en otros casos son sólo datos que incluyen los libros de historia.

Los episodios del pasado árabe cordobés son reconstruidos con fidelidad a los datos que nos ha transmitido la historia,

pero también el autor cree que las vidas y las circunstancias de
aquel pasado remoto siempre serán enigmáticas, y que por ello
la imaginación del historiador es similar a la del novelista.

Muñoz Molina cuenta leyendas, recoge testimonios históricos y literarios en un asombroso mosaico de múltiples referencias, que va de los inicios de la conquista árabe en el siglo VIII
hasta las amargas quejas de Ibn Hazm por la destrucción de
Córdoba y la misteriosa desaparición de su último califa. No
obstante, no intenta crear un mito ni presentar sólo la cara
amable de aquella civilización. Desde una perspectiva equili-
brada, teñida por la admiración sólo en algunos casos, el lector contemplará escenas memorables: la de Abd al-Rahman I,
huyendo de las banderas negras de los abbasíes; las de la
construcción de la mezquita y el lujo ilustrado de algunas cortes; las que narran la ascensión al poder del victorioso y cruel
al-Mansur, el Almanzor de los cristianos; o las que reflejan las
terribles guerras civiles que transformaron en desolación y caos
aquella hermosa ciudad.

4. Presentación de *El dueño del secreto*

Cuando Antonio Muñoz Molina publica *El dueño del secreto*,
en 1994, es ya un narrador muy conocido que cuenta con un
público amplio, ha despertado un gran interés en la crítica y
ha recibido importantes premios literarios. Según señalábamos
antes, la aparición de este relato se sitúa entre su quinta novela, *Los misterios de Madrid*, y el volumen de memorias titulado *Ardor guerrero*, en la línea que Muñoz Molina inicia con *El
jinete polaco* y que se caracteriza por una mayor presencia de
lo personal, de lo autobiográfico.

El dueño del secreto, la primera novela corta que escribe Muñoz
Molina, recuerda una importante etapa en la historia reciente
de nuestro país: el año 1974, cuando quedaban pocos meses para la llegada de la democracia pero pocos podían pronosticar el

final cercano del franquismo. En los cuadros cronológicos que abren esta edición, y en la entrevista que aparece en la sección de Documentos, podemos comprobar que esa presencia de lo personal en *El dueño del secreto* se refleja en varios puntos de conexión con la biografía del autor. Pero también deberíamos añadir, según señala Muñoz Molina en el prólogo a la edición portuguesa (documento 1), que encontraremos en esta novela junto a la confesión personal una «autobiografía ficticia», y por tanto no debe buscarse una correspondencia exacta entre la realidad y la ficción.

Bibliografía

AA.VV.: *Los nuevos nombres: 1975-1990*, Vol. IX de la *Historia y Crítica de la Literatura Española*, al cuidado de Francisco Rico; Darío Villanueva y otros, eds., Barcelona, Crítica, 1992. Para el estudio de la novela actual son imprescindibles las introducciones a la sección primera, de Darío Villanueva, y a la tercera, de Santos Sanz Villanueva, junto con los artículos que incluyen (especialmente los de Darío Villanueva, Francisco Rico, Constantino Bértolo y Enrique Murillo). Recoge también un penetrante trabajo de Emilio Alarcos sobre las primeras novelas de Muñoz Molina.

AA.VV.: *Abriendo caminos. La cultura española desde 1975*, Dieter Ingenschay y Hans-Jörg Neuschäfer (eds.), Barcelona, Lumen, 1994. Amplio y brillante examen de la literatura española contemporánea, que dedica mayor atención a la novela. Los estudios de H. J. Neus- chäfer y M. Walter revisan la novela española de los últimos años. Con respecto a la obra de Muñoz Molina hay que mencionar el artículo que le dedica Suzanne Kleinert, que se ocupa de sus tres primeras novelas.

AA.VV.: *Del franquismo a la postmodernidad. Cultura española 1975-1990*, ed. José B. Monleón, Madrid, Akal, 1995. Ensayos presentados por conocidos especialistas en un simposio celebrado en Los Ángeles en 1990. Destacan la variedad de enfoques y, además de los artículos que tratan específicamente de la novela actual, las secciones que se dedican a la escritura femenina y la postmodernidad.

AA.VV.: *Antonio Muñoz Molina o la realidad de la ficción*, Úbeda, Jaén, Diputación Provincial, Consejería de Educación y Ciencia, 1995. Vídeo y Guía didáctica sobre la obra de Muñoz Molina orientados

especialmente para alumnos de Enseñanza Primaria, Secundaria y
Educación para Adultos.

Amell, Samuel (ed.): *España frente al siglo XXI. Cultura y literatura*, Madrid,
Cátedra/Ministerio de Cultura, 1992. Selección de las aportaciones
presentadas en un simposio celebrado en Columbus, Ohio, en 1990,
de orientación fundamentalmente cultural y sociológica. Incluye,
además de una de las aportaciones de Mainer que mencionamos
más abajo, dos trabajos de conocidos novelistas, José María Merino y Rosa Montero.

Asís Garrote, María Dolores de: *Última hora de la novela en España*, Madrid, Eudema, 1992. Interesante y amplio panorama de los últimos
años de la narrativa española, en el que se dedican incisivas páginas a las novelas de Muñoz Molina (pp. 414-424).

Basanta, Ángel: *La novela española de nuestra época*, Madrid, Anaya, 1990.
Rápida y útil síntesis de la novela española desde el comienzo de
la posguerra hasta finales de los años ochenta. Muy adecuado para
niveles preuniversitarios.

Felten, Hans, y Ulrich Prill (eds.): *La dulce mentira de la ficción. Ensayos
sobre narrativa española actual*, Bonn, Romanistischer Verlag, 1995. En
este volumen encontramos interesantes estudios sobre algunos de
los autores y narraciones fundamentales de los años 80 y principios de los 90. Los autores a los que más atención se dedica son,
por este orden, Antonio Muñoz Molina, Esther Tusquets, Eduardo
Mendoza y Juan José Millás. D. Winter, B. Scheffler y R. Fleischer
estudian las primeras novelas de Muñoz Molina, y Andrés Soria
los relatos recogidos en *Nada del otro mundo* y *El dueño del secreto* (véase documento 7).

Gullón, Ricardo: *La novela española contemporánea. Ensayos críticos*, Madrid,
Alianza, 1994. Esta recopilación de ensayos es un imprescindible
recorrido por la novela española del siglo XX. En el capítulo titulado «Nuevos narradores» Gullón comenta *El invierno en Lisboa* y
Beltenebros.

Mainer, José-Carlos: *De postguerra (1951-1990)*, Barcelona, Crítica,
1994. Los dos últimos capítulos del libro de Mainer son aportaciones fundamentales al estudio de la literatura española desde 1975.
De Muñoz Molina comenta *El Robinson urbano* y *Diario del Nautilus*
como dietarios, y las tres primeras novelas.

Morales Cuesta, Manuel María: *La voz narrativa de Antonio Muñoz Molina*,

Barcelona, Octaedro, 1996. Es el primer libro que trata la obra de Muñoz Molina (las tesis doctorales que se le han dedicado, que yo sepa, no han sido publicadas hasta la fecha). Presenta algunas irregularidades metodológicas, pero también información sobre el autor y aciertos en la interpretación de textos.

Antonio Muñoz Molina.

Antonio Muñoz Molina, Francisco Ayala y Fernando Lázaro
Carreter en la Real Academia Española el 16 de junio de 1996,
fecha en la que el primero tomó posesión de su sillón como
académico.

Antonio Muñoz Molina

El Dueño del
Secreto

NOVELAS EJEMPLARES

Portada de *El dueño del secreto,* segunda edición, Madrid,
Ollero & Ramos Editores, S. L., 1994.

Fachada del restaurante Lhardy en la Carrera de San Jerónimo, Madrid.

Restaurante Lhardy: detalle de la decoración interior de la tienda en la planta baja.

Detalle de una manifestación en Lisboa, en los días de la «Revolución de los claveles» (25 de abril de 1974).

Una carga de los «grises» contra una manifestación estudiantil
a finales de 1974.

Nota previa

El dueño del secreto apareció a comienzos de 1994 en una edición limitada y no venal de Ollero & Ramos encargada por una importante empresa de librería, la FNAC, con motivo de la inauguración de su local en Madrid y para obsequiar a los primeros clientes. En abril de ese año Ollero & Ramos publicó la segunda edición, con mínimas variaciones. Este último es el texto que seguimos, corrigiendo unas pocas erratas.

Quisiera expresar aquí mi agradecimiento al autor por su reiterada amabilidad al facilitarme algunos textos de difícil acceso y al responder a un número sin duda excesivo de preguntas.

EL DUEÑO DEL SECRETO

> Lo peor de tiranías como la padecida por España
> es que su excesiva presión sobre los particulares, si
> bien hace brotar las cualidades más excelsas de unas
> cuantas almas excepcionales, extrae, en cambio,
> del común de los mortales, que no tenemos madera
> de héroes ni de santos, nuestras posibilidades más
> ruines.
>
> FRANCISCO AYALA: Recuerdos y olvidos

I

En 1974, en Madrid, durante un par de semanas del mes de mayo, formé parte de una conspiración encaminada a derribar el régimen franquista. La dirigía un general muy célebre, del que se contaba que a los pocos días de la revolución portuguesa había empezado a recibir sobres anónimos que contenían como único mensaje un monóculo: nadie se acuerda ya, pero el general Antonio de Spinola, primer líder del levantamiento de abril, usaba uno, lo cual le daba un aspecto llamativo de conspirador antiguo, de viejo militar anacrónico que encabeza no la tecnología sangrienta de un golpe de estado al estilo chileno, sino un pacífico pronunciamiento liberal. [1]

---

[1] En efecto, el 25 de abril de 1974 la pacífica «Revolución de los Claveles», entre cuyos promotores se encontraba el general Antonio de Spinola, instaura la democracia en Portugal. Habría que mencionar también que posterior-

La conspiración española, paralela a la portuguesa, pero ajena a ella, había recibido un inesperado impulso con los acontecimientos jubilosos del 25 de abril, fecha que para las personas de mi generación es tan inolvidable como la del 11 de septiembre chileno, que había ocurrido unos meses antes, a finales del verano del 73: las matanzas y los hacinamientos en el estadio nacional de Santiago nos recordaban que para los militares fascistas adiestrados y protegidos por el Departamento de Estado [2] no existía el menor escrúpulo de tibieza o piedad; los acontecimientos de Lisboa nos enseñaban la lección contraria, porque en este caso también los militares eran los protagonistas, pero traían la democracia en vez de derribarla. De pronto, en Portugal, se veía que los más audaces sueños de libertad podían cumplirse, que una dictadura más antigua y más fósil todavía que la española podía borrarse del mundo en el transcurso de una noche, igual que se había derrumbado la monarquía de Alfonso XIII en otro abril de casi medio siglo antes, sin muertos, sin turbulencias ni desastres, en medio de una celebración orgullosa y unánime.

Aún me acuerdo del momento en que leí la noticia, una tarde nublada que en mi memoria más parece de marzo, junto a un quiosco de la Gran Vía donde acababa de comprar *Informaciones*. Podía pasarme semanas sin comer un plato caliente, o caminar kilómetros para ahorrarme las dos pesetas de un billete de metro, pero a lo que no renunciaba nunca era a comprarme un periódico de la mañana y otro de la tarde, no sin gran irritación de mi amigo, paisano y compañero de cuarto Ramón Tovar, también llamado Ramonazo o

---

mente en España corrió el rumor de que uno de los pocos generales que tenían fama de liberales había recibido por correo monóculos, como el que utilizaba Spinola, para animarle a que encabezara en nuestro país un pronunciamiento similar al portugués. Pocos meses antes, el 11 de septiembre de 1973, un cruento golpe de estado había llevado al poder en Chile al general Pinochet.   [2] *Departamento de Estado:* se refiere al de Estados Unidos.

Tovarich, [3] que consideraba ese gasto diario tan inexplicable como el capricho de pagarme una ducha en la pensión dos veces por semana, y no una cada quince días, que era su norma higiénica. [(1)] Aquella tarde del 26 de abril, a pesar del hambre que llevaba, el titular y la foto de primera página, en la que se veía un carro de combate rodeado de gente que les ofrecía claveles a los soldados (*nossas armas são cravos*, [4] leíamos luego en las pancartas: la revolución nos hacía aprender portugués) me dieron una felicidad cálida e instantánea, una anchura de respiración libre en el pecho, como si el golpe de estado no hubiera sido en Portugal, sino en la misma España. Subía atolondrado, me acuerdo, por la acera de la Telefónica, tan absorto en el periódico que choqué con alguien, tan entusiasmado con el relato de aquella noche última de la tiranía en Portugal, de los carros de combate acercándose a Lisboa con las luces apagadas, de las emisoras de radio en las que sonaba una canción rítmica y alegre de José Afonso, *Grandola, vila morena*, que al encontrarme de frente con la cara antipática y agraviada del que había chocado conmigo hubiera querido, en vez de pedir perdón, darle un abrazo y transmitirle la noticia con el mismo entusiasmo incrédulo con que sin duda se la transmitía de boca en boca la gente aquella misma mañana en todas las calles de las ciudades portuguesas. Al fin y al cabo Portugal estaba tan cerca que su revolución casi nos afectaba también a nosotros, y aquel mismo fin de semana muchos rojos españoles corrieron a Lisboa a celebrar el primer uno de mayo de la libertad en un fervor de himnos y de banderas rojas.

---

[3] *tovarich:* 'camarada', en ruso. Nótese el juego de palabras con el apellido Tovar.   [4] *nossas armas são cravos:* 'nuestras armas son claveles', en portugués.

(1) Las referencias a la situación económica del protagonista, y a su deficiente alimentación, son frecuentes. Obsérvese el contraste entre su vida cotidiana y la aventura que nos relata.

¿Podían mantenerse Franco y su corte lúgubre eternamente al
margen de los tiempos, era probable que durase mucho más una
dictadura fascista rodeada de países democráticos? Pero la pregunta de aquellos días era en el fondo más íntima, mucho más
personal, casi al margen de las convicciones o de los razonamien-
tos políticos: ¿Tendría uno tan mala suerte en la vida que se le
gastaría entera soportando aquella tristeza, aquel agobio sordo,
aquel aburrimiento inacabable del franquismo, aquel miedo
sin rasgos ya de martirio ni de épica, tan indeleble como una enfermedad, como un reuma moral?

Yo no sé hacia dónde iba aquella tarde cuando compré el
periódico, seguramente a algún sitio donde ofrecieran un trabajo de repartir propaganda, porque siempre andaba buscán-
dome trabajos en los anuncios por palabras del *Ya*, y lo más
que lograba, aparte de las casuales tareas mecanográficas que
me encargaba Ataúlfo Ramiro, era una proposición para criar
chinchillas o champiñones en casa o para repartir propaganda a la entrada del metro. El caso es que me volví hacia la
pensión y subí corriendo los tres pisos de escaleras inundados
de olor a jamones y chorizos —había en el bajo una mantequería— para darle la noticia a mi amigo Ramonazo, que
por encontrarse en el paro y por ahorrar energías se quedaba tardes enteras tendido en la cama, en total oscuridad, tan
inmóvil que la patrona lo tomó por muerto una vez que en-
tró en la habitación creyendo que no estábamos ninguno de
los dos y sin duda dispuesta a confiscarnos algo en garantía
de pago por los meses que debíamos. Lo encontré dormido,
o más bien abotargado en una somnolencia no exenta de se-
mejanzas fisiológicas con el sueño invernal de los osos, [2] lo
sacudí hasta que se despertó, le puse la primera página del

---

(2) Nótese cómo el humor es una constante a lo largo de la novela, tiñendo incluso los aspectos más difíciles de la vida de los personajes.

Informaciones delante de la cara, que sin afeitar parecía aún más de pueblo, más redonda y más ruda, con un aspecto de fortaleza y salud no malogrado por las privaciones. Sobre la mesa de noche había un ejemplar de la revista *Diez Minutos* y otro de los *Poemas escogidos* de Mao Zedong, que entonces se llamaba Mao Tse-Tung y gozaba de amplio prestigio, no sólo en calidad de líder político, sino también de poeta y filósofo. Como, aparte de prochino, era un poco enterado, Ramonazo al principio le quitó importancia a la cosa, hasta la puso en duda, mirándola con la incredulidad que le inspiraban todos los periódicos burgueses, incluido aquél, que era el único no absoluta y abyectamente fascista y que por la calle identificaba a quien lo llevara tan sin incertidumbre como una bandera, como una barba y un ejemplar de *Triunfo*: [3] para Ramón Tovar, Ramonazo o Tovarich, converso reciente al maoísmo, toda la prensa burguesa era igual de embustera y mixtificadora, palabra esta última que acababa de aprender de la joven prochina con la que estaba saliendo, de modo que se encogió de hombros, me dijo que todo aquello era una trampa de la derecha, aliada natural de los socialfascistas, y que tenía mucho sueño, volvió a tumbarse y a cubrirse hasta la nariz con el embozo de la cama y se quedó mirando la pared sin pestañear, sin duda por ahorrarse la dosis mínima de energía requerida por el movimiento de los párpados. Mal podía imaginarse él que unas semanas más tarde iba a encontrarse envuelto conmigo en una conspiración como la portuguesa, ni que una imprudencia suya habría de contribuir a que se malograse, retrasando en varios años la llegada de la democracia a

---

(3) Como indica el narrador, *Informaciones* y *Triunfo* eran dos de las publicaciones más leídas por los opositores al régimen de Franco. *Diez Minutos*, entonces, incluía «atrevidas» fotos de mujeres en bañador. Obsérvese cómo junto a publicaciones ya desaparecidas encontramos otros indicios temporales.

España, e impidiéndonos a todos que disfrutáramos de la gran-
diosa fiesta de libertad a la que se arrojaron los portugueses.
Nosotros no incendiamos los cuarteles de la Brigada Político
Social ni derribamos estatuas del dictador ni nos lanzamos en
un delirio de alegría a chapotear en las fuentes públicas. A nosotros todo nos llegó más despacio, con más tiento, en un gota a gota exasperante, con incertidumbres y regresos, con la
misma lentitud de quelonio [5] prehistórico con la que acabó mu-
riéndose el general Franco, con terrores y persecuciones y crí-
menes que no acababan nunca, sin que cambiasen casi las caras
y las voces de los que mandaban, sin que jamás tuviéramos la
alegría de empezar de nuevo, de borrarlo todo y vivir una nueva era: la alegría o el espejismo, me da igual. Tampoco para los
portugueses cambió el mundo tanto como ellos creían, y como
creíamos fervosamente nosotros con ellos, a través de ellos, pero
al menos tuvieron esas pocas noches de entusiasmo, de juerga
suprema y de liberación, aquel sueño edificado con los materiales exactos de la realidad.

No quiero decir, claro, que Ramonazo fuese el responsable
del fracaso en España de una revolución como la de Portugal.
Y aun en el caso de que lo hubiera sido, la culpa en realidad
no sería suya, sino mía, ya que fui yo quien le confié, en contra de lo que había jurado, no sólo la existencia de la conspiración, sino también algunos de los nombres de personajes
públicos vinculados a ella y hasta la fecha aproximada en que
se producirían los movimientos militares. Ya entonces, a los
dieciocho años, [4] padecía yo una debilidad de carácter que

---

[5] *quelonio:* reptil de cuatro extremidades cortas, sin dientes y con duro ca-
parazón.

(4) Tanto la edad del narrador, dieciocho años en 1974, como la
llegada ese año a Madrid desde provincias, serían autobiográficos, según puede comprobarse en los cuadros cronológicos.

me ha perjudicado siempre mucho, más en mi respeto hacia
mí mismo que en mi trato con los demás, y que consistía, y
consiste, en que no soy capaz de guardar un secreto, aunque
me jacto de ser hombre reservado y poco amigo de confidencias personales. Es falso. Casi todos los secretos que me
han confiado a lo largo de mi vida han sido perfectamente
triviales, pero lo cierto es que no he sabido o no he podido
respetar ninguno, y que en cada caso he jurado con absoluta
convicción que nunca repetiría las confidencias que estaba escuchando. Si fuese cura traicionaría sistemáticamente el secreto de confesión. Nunca he sido capaz ni de callarme ante
mis hijos cuando me preguntaban qué regalo les había comprado para sus cumpleaños, o para Reyes. [5] Siempre me decía,
y en eso mi mujer estaba de acuerdo, que era preferible que
los chicos no supieran nada hasta el mismo momento, porque
así conservaban intacta la ilusión, pero era inútil, era como
un impulso de vanidad invencible, como un deseo irrefrena-
ble de que me agradecieran cuanto antes los sacrificios que
hacíamos por ellos, un defecto como la incontinencia de vejiga, a la que también soy proclive, dicho sea de paso.

Una sola vez en mi vida he poseído un secreto que de verdad era valioso, que podía, como suele decirse, cambiar el
curso de la Historia de España, y fue saberlo y jurar que lo
guardaría y ya me quemaba como un hierro candente, y no
me dejaba dormir. Tardé tres días en contárselo a alguien, y
si resistí tanto no fue porque durara meritoriamente tres días
mi lucha interior, sino porque Ramonazo se había ido de gira
por la provincia con la pista de coches de choque en la que
trabajaba entonces, y aparte de él no había nadie en Madrid con
quien yo tuviera confianza. Nadie, claro, salvo Ataúlfo Ramiro,

---

(5) Ésta es una de las ocasiones en que el narrador analiza su personalidad, se autocritica, intentando explicar los sucesos pasados.
Nótese el carácter humorístico de alguna de sus explicaciones.

que era por entonces mi amigo, mi protector y mi patrón, y que tenía algo en torno suyo como la sombra de un padre y de un maestro generoso y arbitrario, pero que era, también, quien me había confiado el secreto y exigido rigurosamente que lo mantuviera.

Es cierto que mi relevancia entre los conspiradores era mínima, y que no llegué a tratar a casi ninguno de ellos, y también es evidente que dicha conspiración fracasó, pero nada de eso elimina la verdad de mis correrías por Madrid transportando mensajes ni del peligro de ser apresado que corrí en algún momento. Tampoco las dudas que yo mismo he albergado a lo largo de los últimos diecinueve años sobre aquella aventura suavizan el recuerdo del terror que pasé entonces ni desdibujan mi exaltación, mi entusiasmo, la admiración que sentía hacia el hombre que me había concedido el honor de unirme a los conspiradores, siendo yo poco más que un adolescente hambriento, solitario y algo lunático, y que no sólo me inició en los misteriosos de la clandestinidad, sino también en los lujosos placeres del whisky, la langosta y los taxis nocturnos. [6]

Aquel hombre —innecesario es decir que en realidad no se llamaba Ataúlfo Ramiro, pero no me parece que sea prudente revelar su identidad, o que yo tenga derecho a hacerlo—, murió hace siete u ocho años, recién cumplidos los sesenta, en la flor de la vida. Yo siempre diciéndole a mi mujer, «tengo que llevarte a Madrid, a que conozcas a Ataúlfo», y se van dejando las cosas de un año para otro, se va cargando uno de tareas y de hijos y de pronto se entera de que la visita que

---

[6] En este párrafo el narrador, en la tradición cervantina, expresa sus dudas sobre la aventura que nos cuenta. Sintetiza su visión de aquel momento y señala la existencia de un «presente» de la narración: han transcurrido diecinueve años desde los sucesos ocurridos en 1974, lo que nos llevaría a 1993 como fecha de redacción.

postergó tantas veces ya ha sido definitivamente cancelada. Ataúlfo murió de un derrame cerebral, una mañana de febrero, por la calle de Alfonso XII, que le gustaba tanto, frente a las verjas del Retiro, pero según la vida que llevaba podía haber muerto también de cáncer de pulmón, de coma hepático y de infarto de miocardio. Yo no había vuelto a verlo desde que salí más o menos huyendo de Madrid a mediados de mayo del 74. Supe, por amigos comunes, que se había divorciado y que se volvió a casar con una mujer mucho más joven, y que el nuevo matrimonio le hizo feliz, le ganó la animadversión incondicional de sus hijos y le coincidió con un florecimiento profesional que le hizo rico en poco tiempo.

La noticia me sorprendió, entre otras cosas porque yo siempre le creí multimillonario, a pesar de que viviera y tuviera el despacho en un piso pequeño y oscuro de la calle Quintiliano. A los dieciocho años y en el estado de amarga necesidad en que yo me encontraba, cualquiera que tuviese una vida decente me parecía un potentado: incluso a los compañeros de pensión que disfrutaban de un cuarto individual ya les atribuía desmedidos privilegios sociales. Ataúlfo Ramiro fue la primera persona que yo conocí que acudiera en taxi a todas partes, que bebiera whisky y vino de marca y comiera langosta y caviar. En compañía de Ataúlfo, y costeado por él, entré por primera vez en un club nocturno, o bar de alterne, y vi cómo aquellas mujeres blancas, carnosas y medio desnudas cuya sola proximidad me debilitaba las piernas lo saludaban por su nombre, se le sentaban en las rodillas y compartían con él sus copas de champán. Los anchos billetes verdes de entonces, de un verde tan fuerte y un papel tan recio que crujía, brotaban de sus bolsillos, de todos sus bolsillos, los de su pantalón y los de su americana, como si se multiplicaran alegremente en ellos, y yo le veía gastar y agradecía su generosidad conmigo y pensaba que con una parte mínima de aquel capital que Ataúlfo derrochaba yo podría pagarme un curso entero.

Pero en ningún momento sentí rencor, o envidia de clase,
que era lo que sentía hacia Ataúlfo mi amigo Tovarich, que
había llegado desde mi pueblo a Madrid un par de meses después que yo, pero no para estudiar, ya que había dejado la
escuela a los doce años y llevaba seis trabajando de mecánico, sino para buscarse la vida en el primer oficio que se le
presentara, pues pensaba que en cualquiera de ellos viviría
menos explotado que en el taller de coches de donde llegaba,
todavía con una oscuridad de grasa en las anchas palmas de
las manos y en las uñas, con un tizne de mecánico o de car-
bonero en la negrura cerrada de la barba.

A Ramonazo yo lo conocía de los futbolines de Acción Católica. [6] Era algo chaparro, cuadrado, muy fornido, con una
papada precoz, un cogote carnoso, una panza rotunda y unas
manos chatas y recias que siempre tenían como un residuo de
grasa de taller en las uñas. Nos unió enseguida una confusa
vocación izquierdista y un deseo contumaz de ver mundo.
Los domingos por la tarde nos paseábamos por la calle Nueva
con las manos en los bolsillos, comiendo pipas y planeando
detalle por detalle la revolución, sin omitir colectivizaciones
forzosas, juicios sumarísimos [7] ni fusilamientos ejemplares.
Ramonazo (le halagaba que le dijeran Tovarich hasta que ya
en Madrid se volvió prochino) era partidario de los tribuna-
les populares y de las quemas de aquellas iglesias que no tu-
vieran utilidad como almacenes o garajes: más templado, o influido por algún sacerdote de izquierdas, o por las vaguedades
sobre cristianismo y marxismo que circulaban en las publicaciones del PC, yo le sugería que algunos creyentes podían
unirse a la causa de la revolución, y eso le hacía montar

---

[6] *Acción Católica:* organización católica que se proponía movilizar a los se-
glares católicos para transformar la sociedad española. Su presidente, Martín
Artajo, en los años 40 encabezó la diplomacia del gobierno de Franco.   [7] *juicios sumarísimos:* juicios que por la urgencia, gravedad o sencillez del caso tienen una tramitación muy breve.

inmediatamente en cólera, y alimentaba sus sospechas de que yo, en realidad, era un miserable reformista.

El día antes de que yo me fuera a Madrid lo celebramos juntos bebiendo una botella entera de Valdepeñas con tapas de tocino frito y aceitunas machacadas en una taberna que se llamaba *De aquí no paso*, cuyos clientes, de un modo u otro, acababan siempre haciendo honor a tal nombre. Al calor de la ebriedad Ramonazo me hizo prometerle que le ayudaría a establecerse en Madrid cuando por fin se decidiera a huir de casa de sus padres, y me juró a su vez que en el momento en que le sonriera la fortuna compartiría su éxito conmigo: pensaba, no sin razón, que mis posibilidades de prosperar como estudiante en Madrid eran limitadas, y que su experiencia de la vida, mucho más amplia y auténtica que la mía, pues no en vano llevaba seis años ganándose el jornal, nos sería muy útil a los dos cuando al fin pudiéramos reunirnos. Aseguraba que los estudiantes no servíamos para nada, ni para hacer la revolución, según se había visto unos años antes en las universidades de Francia y de los Estados Unidos, y que la falta de esfuerzo físico amariconaba la voluntad igual que reblandecía las manos. Por eso él era partidario de que a los estudiantes nos cortaran obligatoriamente el pelo al rape y nos mandaran de vez en cuando a trabajar en el campo o en las fábricas, como en la China de Mao, país que Ramonazo admiraba mucho aun antes de echarse aquella novia que resultó ser del FRAP,[8] y que en las mañanas de mayo del 74 lo llevaba de la mano a la plaza de Neptuno para ver ondear la bandera roja sobre los tejados del hotel Palace, pues era allí donde al principio tuvo sus dependencias la embajada de China, que acababa de establecer relaciones diplomáticas con la España franquista.

La noche de la despedida, en el *De aquí no paso*, apurando

---

[8] *FRAP:* siglas de la organización clandestina Frente Revolucionario Antifascista y Patriótico.

más por obstinación que por ganas el último vaso de Valdepeñas, la última tapa de tocino enfriado, Ramonazo también
mostraba dudas sobre mi lealtad posterior hacia él: «Seguro
que cuando te juntes con todos esos señoritos universitarios de
Madrid ya ni te acuerdas de tu amigo».

Me olvidé de él, desde luego. Me olvidaba de todo. La desnutrición acabó debilitándome la memoria no menos que las
piernas, y la llegada y las primeras semanas en Madrid fueron como una inundación de imágenes y de sensaciones tan
violentas que no dejaban en mi conciencia el menor rastro de
la vida anterior. Recibí un par de cartas suyas a las que contesté distraídamente y con retraso, cartas que él escribía, por
cierto, en hojas apaisadas y rayadas, como las que usaban entonces los soldados para escribir a las familias, y con una ca-
ligrafía más bien propia de la generación de nuestros padres.
Le aseguré, falsamente, que había emprendido algunas ges-
tiones para buscarle trabajo en un taller mecánico, o en una
gasolinera, y le conté algunos embustes sobre mi participación
en las luchas universitarias, luchas que a vuelta de correo él
se apresuró a desdeñar, esgrimiendo de paso la ya habitual y
amenazadora apelación a las comunas arroceras chinas y a la
zafra [9] cubana. Me decía que estaba a punto de abandonar el
taller donde trabajaba y la tiranía avarienta del dueño, a quien
llamaba el Negrero o el Calvo: veladamente, como si alguien
pudiera interceptar la carta, me sugería que estaba ideando
una estratagema para retirar su dinero de la Caja de Ahorros
sin que su padre se enterara. Tan lejos estaba yo de él y de todo lo que tuviera que ver con mi vida pasada y con la tristeza
y la rutina lenta de mi pueblo que cuando unos meses más tarde lo vi en el vestíbulo de la pensión me costó unos segundos re-
conocerlo. Hablaba como si no estuviéramos en Madrid, como
si hubiera llegado a buscarme a casa de mis padres y al cabo

---

[9] *zafra:* cosecha de la caña dulce.

de un rato fuéramos a salir con nuestros trajes de domingo a
pasearnos comiendo pipas por la calle Nueva. Inventé cualquier
pretexto para librarme de él: justo cuando llegó yo salía llevando en la mano mi máquina portátil, porque tenía que ir a trabajar de mecanógrafo a casa de Ataúlfo Ramiro.

A lo que iba, sobre todo, era a cenar, y a beber whisky, a
fumar tabaco americano, a escuchar las infinitas historias de
Ataúlfo. Algunos días llegaba prácticamente en ayunas a su
casa, de modo que los langostinos o las angulas o el caviar a
los que él me invitaba más tarde eran mi único alimento: vivía
entre el hambre cruda y los canapés de salmón, entre la leche condensada y el *dry martini*, entre los bancos fríos de la
plaza de España donde me sentaba todas las mañanas a leer
los anuncios por palabras del *Ya* y los taburetes de José Luis
y de Chicote.[10] Veía Madrid tras un cristal de lejanía y extrañeza enturbiado por las alucinaciones del hambre o por las
borracheras instantáneas de whisky de malta bebido con el estómago vacío: pero la turbiedad entonces era dulce y dorada,
translúcida, deliciosa, tan confortable como el viaje en taxi camino de la pensión y de la vida real, a las dos o a las tres de
la madrugada, por las avenidas resplandecientes y vacías,
imaginando carros de combate que avanzaban por la calle de
Alcalá hacia la Puerta del Sol, banderas republicanas y rojas
sobre el edificio de Correos, en los balcones siniestros de la
Dirección General de Seguridad. Entonces aún quedaban serenos en Madrid, y a mí, cuando llegaba bebido, no me daba
vergüenza dar una palmada resonante en el silencio y en la
quietud de la calle, y como se me contagiaba enseguida la
prodigalidad de Ataúlfo le entregaba al sereno una propina
espléndida, y sólo a la mañana siguiente caía en la cuenta de
que no me quedaba ni una sola moneda.

Aquéllos fueron tiempos.

---

[10] *José Luis, Chicote:* bares elegantes de Madrid.

II

Con Ataúlfo empecé a trabajar por mediación de otro paisano mío estudiante que se hospedaba en una pensión cercana, y con el que no llegué a hacer amistad, aunque nos conociéramos del Instituto. Era un individuo de mi edad, pero más bien altanero, y yo no sé si distraído o mal educado, porque algunas veces no me saludaba al cruzarnos en la calle. Creo recordar que estudiaba idiomas, y me han dicho que ahora es un alto cargo en los servicios de traducción del Parlamento europeo o algún sitio semejante. [7] Siempre es raro pensar que alguien del mismo pueblo de uno ande tan lejos por el mundo. Económicamente él estaba algo mejor que yo, gracias a una beca salario como la que yo había solicitado en vano, por mis notas mediocres: con frecuencia lo veía desayunar en la cafetería Yale, [1] que para mí era tan inalcanzable como el Palace. [2] Una mañana coincidimos en la puerta, y aunque no creo que yo llevara más de cinco duros en el bolsillo le propuse que desayunáramos juntos. Me habló entonces de un trabajo que había estado haciendo para un medio pariente suyo, abogado, y que ahora debía abandonar, porque le habían cambiado algunas clases a la tarde: un trabajo ocasional, por horas, copiando cosas a máquina o tomando cartas al dictado. Me anotó un número de teléfono en una servilleta

---

[1] *Yale:* cafetería cercana a la plaza de España.   [2] *Palace:* lujoso hotel de Madrid.

---

(7) Por algunos rasgos que se mencionan de este «paisano» del narrador, Andrés Soria ha identificado a este personaje como el protagonista de *El jinete polaco,* una novela que también presenta un claro componente autobiográfico.

de papel y me dijo que llamara esa misma mañana. Vi el cielo abierto, pero no quise agradecer el favor con demasiada efusión, por no manifestar ante mi paisano el grado de necesidad en que me encontraba, y por no acentuar en él aquel aire de vago patrocinio que había adoptado conmigo. A la hora de pagar llamé yo al camarero e hice un gesto como de llevarme la mano al bolsillo interior del chaquetón, según había visto hacer a las personas con posibles, pero hubo suerte y mi paisano me contuvo, y pagó él los dos cafés con leche y las porras.

En esa época los teléfonos públicos de Madrid eran negros y de una arcaica solidez y todavía funcionaban con fichas. Hasta entonces yo había hablado por teléfono muy pocas veces en mi vida, de modo que llamar a alguien, sobre todo a un desconocido, me ponía nervioso, y nunca estaba seguro de haber introducido bien la ficha o marcado el número correcto. La señal de llamada, la caída de la ficha en el interior del mecanismo, me daban palpitaciones de palurdo. Aunque el sonido de mi voz me pareció ridículo y mis palabras confusas la mujer que atendió desmayadamente el teléfono en casa de Ataúlfo entendió mi propósito y me dio cita para aquella misma tarde, advirtiéndome que llevara mi máquina de escribir, y que acudiera exactamente a las cinco. El habla de Madrid, tan barnizada de eses, [8] me intimidaba mucho: de niño yo había creído que pronunciar las eses finales y las des era cosa de ricos. Me di una ducha, aunque era martes y no me tocaba, me puse toda la ropa limpia, les saqué brillo a mis botas con la colcha, me di fuerzas preparándome de almuerzo un gran bocadillo de paté, que comí acompañado higiénicamente por un vaso de agua del grifo, sentado frente a la ventana abierta de mi habitación, por la que subía siempre a esa hora un borboteo

---

(8) Obsérvese cómo la percepción que tiene el protagonista del habla de Madrid sugeriría su procedencia andaluza, lo que refuerza el autobiografismo.

y un olor a guiso más suculento aún que el de los embutidos de
la mantequería de abajo. Consideré la posibilidad de ir en un rato a que me cortaran el pelo, ya que tal vez lo llevaba demasiado largo para el gusto de un abogado, al que yo suponía inac-
cesible y severo, vestido de negro y con una insignia religiosa en
el ojal, como los abogados y los notarios de mi pueblo, que eran
todos cofrades de Semana Santa y camisas viejas de Falange. [3]

Pero no fui a la peluquería: se me estaba haciendo tarde, y
tampoco era cuestión de renunciar a los principios de uno, más
firmes por esa época en el apartado capilar que en el ideológico. Aproveché el poco tiempo que me quedaba revisando y
limpiando mi máquina de escribir, que mantenía yo siempre
tan engrasada y dispuesta como un oficial su arma reglamen-
taria, si se me permite la comparación. Mi máquina portátil,
reluciente, liviana, veloz como un bólido cuando alcanzaba con
ella las doscientas cincuenta pulsaciones por minuto, con su
tecleo seco y rítmico y su timbre de aviso, con su olor a metal,
a grasa, a ese líquido a base de gasolina con el que se limpian
las máquinas de escribir, y que para mí sigue siendo, aunque
ya no exista motivo, uno de los olores de la felicidad. Era una
Tippa Adler con la carrocería y la tapa pintadas en un gris muy
suave, y nada más que llevándola en la mano por la calle como lleva un músico su instrumento enfundado ya me sentía
acompañado y fortalecido, casi justificado por ella, ya me creía
que estaba cumpliendo la primera parte de mi vocación de
periodista, vocación con la que había vivido desde los doce
años, y que sólo me flaqueaba cuando entraba en los anchos
pasillos de cemento de la Facultad de Periodismo, que ahora
se llamaba de Ciencias de la Información, [(9)] y en la que los

---

[3] *camisas viejas:* los miembros más antiguos de Falange.

(9) También son autobiográficos la vocación periodística y el comienzo de los estudios universitarios en la Facultad de Periodismo.

profesores disertaban sobre saberes incomprensibles llamados Semiología o Comunicología. Pero yo no quería ser un licenciado en Ciencias de la Información, que sonaba a licenciado en Farmacia o en Derecho Canónico, y menos aún un semiólogo o un comunicólogo: yo quería ser un periodista, que me parecía algo tan inmediato y tan urgente como ser un atracador o un bombero, y la excitación que notaba hojeando un periódico, tocando el papel y olfateando su tinta, o sentado delante de mi máquina y escribir haciendo como que tenía que redactar en diez minutos una noticia de última hora, y que no estaba en la mesa camilla de mi cuarto alquilado, sino en la tumultuosa sala de redacción de un periódico, se me desvanecía en cuanto empezaba a tomar apuntes en un aula de la Facultad.

Yo había nacido para periodista, y *periodista de raza*, según leía algunas veces, y lo había dejado todo para irme a Madrid, que era donde ocurrían las cosas y donde los periodistas se forjaban, pero a los dos meses de estar allí mi trato con el periodismo seguía siendo idéntico al que mantenía en mi pueblo, con la diferencia única, aunque sustanciosa, de que podía leer los periódicos del mismo día, y no aquellos ejemplares enfriados y como desabridos del día anterior que entonces llegaban a provincias, y que lo reducían a uno a una especie de anacronismo obligatorio.

Pero si aún no me había llegado la hora de usar mi máquina como periodista, al menos me ayudaría a ganarme la vida como mecanógrafo, si aquel abogado de nombre tan rotundo que casi daba miedo accedía a contratarme. A las cuatro y media de una tarde de sol rubio y helado bajé con mi máquina de escribir al metro de la plaza de España, y en el vagón apreté muy fuerte el asa de la tapa y miré con disimulo a mi alrededor por miedo a que algún gamberro o carterista me la quitara. En aquellos días aún me gustaba todo de Madrid, incluso lo que me asustaba, y me sumergía en los túneles y en los vagones del metro con la disposición aventurera y enérgica de un explorador, trazando itinerarios en lo desconocido con la ayuda de un mapa y mirando una por una todas las caras con las que me cruzaba queriendo no perderme ni un personaje ni un detalle en el gran espectáculo de las vidas ajenas. [10]

Pero el aire solía estar demasiado caliente, enrarecido, un poco húmedo, y a veces uno se veía avanzando por túneles de techo bajo y longitud inacabable en los que no había nadie más, o descendiendo inmóvil por escaleras mecánicas que daban vértigo de tan empinadas. En el metro me daban miedo las muchedumbres afanosas de las horas punta y el fragor de los trenes, pero sobre todo el silencio y la soledad de algunos corredores en los que de pronto se oían unos pasos a la espalda, unos pasos y también a veces los golpes breves y seguidos del bastón de un ciego. Salir a la calle, ver de nuevo la luz del día y respirar el aire libre era siempre un alivio, y al pisar la acera yo me sentía como si tuviera yo mismo algo de aparición. Así me encontré esa tarde en la Avenida de América, donde no creo que hubiera estado nunca hasta entonces, y como durante el viaje en el metro, según mi costumbre, me había estudiado bien el plano de la zona, no tuve que preguntarle a nadie para llegar a la calle Quintiliano, donde me esperaban unos minutos después.

Hice tiempo mirando en un quiosco los titulares de la tarde, que se referían sobre todo a una cosa llamada *el espíritu del doce de febrero*. [4] Faltaban dos meses para el abril glorioso de

---

[4] *el espíritu del 12 de febrero:* en ese día del año 1974 Carlos Arias Navarro pronunció su primer discurso como Presidente del Gobierno; la prensa y la opinión pública denominaron «espíritu del 12 de febrero» a sus supuestas intenciones reformistas del régimen franquista.

(10) Esa capacidad de observación de las «vidas ajenas» que tiene el protagonista, según ha señalado Andrés Soria (documento 7), es característica en las concepciones literarias del autor.

Lisboa, menos de tres para el levantamiento español en el que yo aún no sabía que iba a participar, poco más de año y medio para que se muriera el enano mineral, el galápago eterno que aparecía en el blanco y negro de los televisores como la momia anticipada de sí mismo, embalsamado en condecoraciones o vestido con trajes y sombreros de fieltro de vejestorio diminuto y pulcro, de abuelito fastidioso con el que ya nadie sabe qué hacer: [5] lo malo del porvenir, cuando aún no se ha convertido en pasado, es que no hay manera de sospechar lo que traerá, y que los únicos vaticinios que aciertan son los retrospectivos. Aquel invierno, aquellas tardes de febrero, aún parecía que la dictadura no iba a terminarse nunca, tan omnipresente, tan calcificada en sus engranajes, que sobreviviría sin riesgo a la muerte de Franco, en el caso de que éste se muriera en un plazo no demasiado lejano, lo cual no siempre parecía seguro. ¿Y si llegaba a los cien años, como aquellos viejos lamentables y ruinosos a los que llamaban los periódicos *el abuelo de España* o *la bisabuela de Aragón*, o incluso a los ciento treinta, como esos pastores del Cáucaso que sólo se alimentan de requesones y yogur?

Por la Avenida de América bajaba una columna de *jeeps* de los grises, [6] seguida por un autobús en el que se vislumbraban, tras las rejillas de alambre que recubrían las ventanas y los faros, cascos de antidisturbios con las viseras levantadas. En alguna parte empezó a sonar una sirena, y se encendieron simultáneamente todas las luces giratorias azules sobre los techos de los *jeeps*. Con el corazón en un puño apresuré el paso y resistí las ganas de seguir mirando hacia ellos. Incluso tuve miedo, porque era muy medroso, de que me interrogaran acerca de mi máquina. (Años después un amigo que sí llegó a hacerse periodista, y corresponsal internacional, que es lo que a mí me hubiera gustado ser, me contó que en las fronteras

---

[5] El narrador se está refiriendo a Franco, naturalmente.   [6] *grises:* como luego se explica, se llamaba así a los policías por el color de sus uniformes.

de algunos países comunistas los aduaneros confiscaban las máquinas de escribir.)

Un grupo todavía muy poco numeroso de gente parecía estar concentrándose en una esquina de la avenida, junto a un paso elevado donde trepidaba el tráfico. Creí ver otros grupos en otras esquinas, hombres con cazadoras y trencas y periódicos bajo el brazo, gente con aire distraído que podía estar allí por casualidad o siguiendo un propósito común. Se adivinaba que en cualquier momento podía ocurrir algo, y no saber qué ya daba miedo y excitaba. Aquellos grupos dispersos podían convertirse de pronto en una compacta multitud fugaz o disolverse del todo sin dejar ningún rastro, y las sirenas y los *jeeps* de los guardias podían alejarse en otra dirección, hacia otro cruce de esquinas de Madrid donde hubiera jóvenes barbudos sospechosamente agrupados, sospechosamente distraídos mirando escaparates o esperando autobuses.

Con franco alivio doblé hacia la calle Quintiliano y entré en el portal oscuro del número 32. Detrás de mí empezaban a oírse más sirenas. Subí al segundo y ya sólo escuchaba mis pasos en los peldaños de madera. Me había extrañado no encontrar junto a la puerta de la calle una de esas placas doradas que anuncian a los abogados. En la puerta del segundo derecha sí que había una placa, pero era muy pequeña y de poca calidad, como de formica, y en ella sólo estaba escrito el nombre, Ataúlfo Ramiro Retamar, que era un nombre tan sonoro y tan autoritario que equivalía por sí solo a una placa de bronce, un nombre de procurador en Cortes o de registrador de la propiedad. Pulsé el timbre, pero una sola vez y con una presión tan pusilánime que nadie vino a abrir. Apreté más fuerte el asa flexible de mi máquina, me aplasté el pelo hacia un lado con la mano derecha y llamé un poco más decididamente. La misma voz femenina y desganada que había oído en el teléfono dijo «Ya va», y hubo un ruido lento de chancletas antes de que la puerta se abriera, no sin gran congoja por mi parte.

No sé si había esperado una doncella de cofia blanca y mandil blanco o un severo mayordomo, pero encontrarme frente a una señora de mediana edad, despeinada, con unas zapatillas viejas y una bata de casa echada sobre un camisón no me impresionó menos. [11] A una amiga de mi madre, peluquera a domicilio y muy lectora de revistas del corazón y de novelas de Carlos de Santander, [7] yo la había oído decir que los verdaderos multimillonarios y los duques y condes con grandeza de España se vestían de cualquier modo, a diferencia de los ricos de medio pelo y de los títulos falsos, que careciendo de sustancia se desvivían neciamente por mantener las apariencias. Aquella señora debía de pertenecer al grupo más selecto de los multimillonarios, o de los grandes de España, porque eran las cinco de la tarde y se veía que estaba recién levantada de la cama, y traía consigo un aire recalentado de pereza y alcoba.

Me miró a mí tapándose un bostezo con la mano y luego miró hacia la máquina, con la misma expresión que si acabara de abrirle la puerta a un operario no solicitado. Debía de haber sido muy guapa hasta unos pocos años antes, pero la belleza de sus rasgos demasiado juveniles no había sobrevivido a la decadencia de la piel. El rictus de la boca y el ceño de la frente se habían convertido en arrugas. Tenía los labios pintados, pero no los ojos, lo cual exageraba su palidez de enfermedad, de vida encerrada e insalubre. Le dije que venía por lo del puesto de mecanógrafo y al principio no se enteraba de nada, pero enseguida se echó a reír: «El puesto

---

[7] *Carlos de Santander:* seudónimo de Juan Lozano Rico, prolífico autor de novelas rosas y fotonovelas.

(11) «Obsérvese el comportamiento del personaje en esta primera visita a la casa de Ataúlfo Ramiro, y cómo sus expectativas, sus ideas previas, contrastan con lo que ve.

de mecanógrafo», repitió, pasándose la mano por el pelo, burlándose sin duda de la seriedad que esas palabras daban a una tarea no mucho más relevante que la de limpiar casas por horas. Me dijo que su marido probablemente se retrasaría un poco, y que si me parecía bien y no tenía nada mejor que hacer podía esperarlo en su despacho. Por el modo entre compadecido e irónico con que me miraba, se veía claro que estaba segura de que yo no tenía nada mejor que hacer.

Aludió sumariamente para disculparse a un dolor de cabeza y desapareció arrastrando las zapatillas por el fondo de un corredor cerrado con cortinas granate que a mí me dieron una impresión de misterio y de lujo. En el despacho me quedé de pie unos minutos, sin atreverme del todo a prestar atención a lo que tenía ante los ojos, por un escrúpulo de respeto hacia la intimidad ajena. Había una pared entera cubierta de repertorios jurídicos, una mesa grande cuya forma desaparecía bajo los papeles y los legajos amontonados, una lámpara de pie con la pantalla imitando un pergamino antiguo y uno de esos sillones de tipo castellano o fraliuno que se llevaban mucho entonces. Al otro lado de la mesa, la silla de los clientes era una simple silla de cocina, de plástico rojo, lo cual me pareció una nueva señal de extravagante riqueza y desdén hacia las convenciones. El despacho, en conjunto, era tan exiguo, y estaba tan atestado de cosas, que me pregunté dónde podría instalar mi máquina y mi persona cuando tuviera que escribir. Al cabo de unos minutos prudenciales, y en vista de que nadie aparecía, me consideré autorizado a sentarme en el filo de la silla de plástico rojo.

Permanecí sentado en ella exactamente tres horas menos cuarto, con las rodillas juntas y los codos apoyados en los muslos y mirando tontamente al vacío, o las cortinas algo sucias de la ventana, en una actitud como de velatorio, de tiempo lento o muerto que no acaba nunca. Miré los lomos de los libros jurídicos, las letras góticas de los diplomas colgados en la pared, las caras en la orla de la promoción 1955-1960 de licenciados en Derecho, preguntándome quién de ellos sería el desalmado que me citaba a las cinco para dejarme esperando hasta las ocho. Uno por uno se reunían en mí los síntomas del infortunio: primero tuve ganas de orinar, después empecé a notar en el estómago la mordedura y el desconsuelo del hambre, porque el bocadillo de foiegrás me lo había tomado a las dos, y además, como dice mi madre, nada que no sea un plato caliente de cuchara alimenta a un organismo sano; a las seis ya era por completo de noche y yo no me decidía ni a marcharme ni a encender la lámpara; a las seis y cuarto me moría de ganas de orinar y apretaba las piernas como en las bancas del colegio unos minutos antes del recreo; desesperado, reducido al absurdo, salí al pasillo, que estaba a oscuras, en busca de un lavabo o de una presencia humana, pero escuché una risa súbita y muy desagradable y volví a refugiarme en el despacho antes de darme cuenta de que lo que había oído era la televisión. Si no aparecía nadie, si no llegaba Ataúlfo ni la señora se acordaba de mí ni yo me marchaba, ¿me quedaría indefinidamente así, como un personaje en una obra de teatro del absurdo?

Por la ventana llegaba, sobre el rumor del tráfico, un sonido lejano de sirenas policiales o de ambulancias. Desde la primera noche de excitación y de insomnio que pasé en Madrid me había llamado mucho la atención que siempre se escucharan sirenas. Dejé entornada la puerta del despacho y agucé el oído intentando distinguir alguna señal de la presencia de la mujer que me había abierto por debajo de las risas mecánicas de la televisión, que tal vez estaba encendida en el piso de al lado. A las siete y algo sonó el teléfono. Sonó tres veces y se interrumpió, y entonces me di cuenta de que yo lo oía, pero no sabía dónde estaba. Volvieron a llamar: tres timbrazos de nuevo, y después el silencio. Encontré el teléfono debajo de una pila de sentencias del Tribunal Supremo que al moverla ligeramente se derrumbó provocando un alud polvoriento de papel de barba. Me lo quedé mirando cuando empezó a sonar por tercera vez y siguió sonando como si me desafiara a levantarlo: pero imaginaba que habría otro teléfono en la casa, y que la señora lo cogería. Sonó diez o doce veces. Adelanté la mano para cogerlo y dejó de sonar: era sólo el intervalo entre los timbrazos, y cuando tuve el auricular en la mano me arrepentí de haberlo levantado, y una voz femenina estaba hablándome y yo no acertaba a decir que yo no era Ataúlfo.

«Todo resuelto, chico. Su excelencia de acuerdo, y los demás amigos ya sabes, que a la orden».

Antes de que yo pudiera articular nada, la comunicación se interrumpió. Hacia los fondos de la casa, que yo suponía ilimitada, con una tenebrosa longitud de pasillos, como el piso de renta antigua en el que estaba mi pensión, se abrió y se cerró una puerta de cristales, y creí que sonaban pasos acercándose, aunque tal vez era tan sólo una alucinación del silencio y del hambre. Pensé con amargura que me asustaba todo, que cualquier situación un poco difícil me vencía, que no iba a saber buscarme la vida en Madrid, que si tardaba mucho en encontrar un retrete me orinaría en los pantalones. En ese momento la puerta del despacho se abrió y yo me puse de pie con una rigidez tan instintiva como cuando entraba el padre director en mi aula del colegio salesiano. [12] La misma señora que me había recibido casi tres horas antes me miró más o menos con la misma sorpresa que la primera vez, sólo que ahora, en lugar de la bata echada sobre los hombros, se había puesto una rebeca, y parecía haberse peinado y maquillado un poco.

—Anda, pero si es el chico de la máquina de escribir —ahora hablaba con menos burla y más indulgencia—. Pobrecito, yo pensaba que te habías ido.

---

(12) Una nueva referencia autobiográfica, pues el autor también estudió en un colegio salesiano.

—Ya me iba, señora —dije, como si haberme quedado tanto tiempo hubiera sido una desconsideración—. Se ve que don Ataúlfo no ha podido venir...

—Con él nunca se sabe —la mujer se encogió de hombros e hizo un gesto de incertidumbre o desdén que le torció la boca; se veía que esos dos movimientos eran tan frecuentes en ella que se habían incorporado a su presencia física: tenía siempre la cabeza un poco hundida entre los hombros, y la boca algo torcida, con arrugas muy finas en el labio superior, manifestando un estado de ánimo fronterizo entre la amargura y la burla—. Él dice que es anarquista, y yo le digo, tú qué vas a ser anarquista, tú lo que eres es anárquico.

—Bueno, pues nada —yo quería irme y no sabía cómo decir correctamente adiós: si no salía corriendo de allí en el minuto siguiente y no orinaba donde fuera iba a gritar—. Si a usted le parece yo vuelvo mañana.

—¿Con la máquina? —el aire de guasa volvía a traslucirse en los labios.

—Si no pesa nada —la levanté del suelo para demostrárselo—. Como es portátil.

Un poco más y la hubiera abierto para enseñarle su mecanismo. En esa época yo hablaba con cualquiera, a cualquiera podía contarle mi vida, tal vez porque pasaba demasiado tiempo sin hablar con nadie y me faltaba por completo la costumbre de la soledad. Algunas veces, cuando iba caminando desde la calle San Bernardino hasta la Ciudad Universitaria para ahorrarme el autobús, sin darme cuenta me ponía a hablar solo, y me acordaba de lo que dice mi madre, que se empieza hablando solo y se acaba de pensión completa en *Los Prados*, que era el manicomio que había antes en nuestra provincia. Hace años que lo cerraron, pero no ha desaparecido del vocabulario de mi madre. «Tú estás para que te lleven a *Los Prados*», me dice todavía, cuando me ve más distraído de lo habitual o cuando mi mujer le cuenta alguna rareza mía.

—Chico, no sé, como tú veas, lo misma tarda en llegar cinco minutos que no aparece hasta mañana —los rasgos de aquella cara eran especialmente móviles: pasaban de la ironía a la benevolencia, del aburrimiento a la amargura, si bien el sentimiento que empezaba a preponderar en ella era el de la protección maternal.

—Señora, por favor —dije, temerariamente, desesperadamente, oprimiéndome la vejiga hinchada con los muslos, mirando enfrente de mí, porque habíamos salido al pasillo, una puerta que sin duda era la de un cuarto de baño—. ¿Le importaría que pasara al servicio?

Lo de pasar al servicio era en mi pueblo una expresión que denotaba a las personas más educadas. Una tía mía, hermana de mi madre, empezó a usarla cuando se casó con un funcionario del Ayuntamiento. Los pobres lo que decíamos era ir al wáter.

Obtenido el permiso prácticamente me abalancé contra la puerta del baño, y creo que en la incontrolable ansiedad de los procedimientos previos me mojé algo el pantalón. El de la micción es un deleite muy poco celebrado, pero todo aquel que padezca, como padezco yo, el contratiempo de la incontinencia, o que tenga una vejiga proclive al enfriamiento, estará de acuerdo conmigo en que hay pocos placeres que puedan comparársele no ya en duración y en frecuencia, sino en intensidad. Oriné con los ojos cerrados tan larga y ruidosamente como un mulo, comparación, aunque algo bruta, de una total exactitud. Me pareció que tras el caudal producido por mí se escuchaba el timbre del teléfono. Cuando salí del baño, transido de calma y felicidad, y no sin haber tirado de la cadena y limpiado con papel higiénico los bordes de la taza (ése fue uno de los consejos de mi madre antes de que me fuera a Madrid), la señora estaba hablando en el despacho, y enseguida me di cuenta de que hablaba de mí.

—Es Ataúlfo —me dijo, después de colgar, encogiéndose de hombros, con el gesto de quien ya no se sorprende de nada—.

Que vayas urgentemente a Lhardy,[8] con la máquina, que le haces mucha falta.

—Yo creo que la mejor estación de metro será la de Sol —dije, estupefacto, pero también resolutivo, contento de mostrar mi familiaridad con los nombres prestigiosos y la topografía de Madrid. A los escaparates de Lhardy solía ir yo a mirar manjares, como el que va a un museo a mirar cuadros.

—Nada de metro —la señora me guiaba casi a empujones hacia la puerta y me ponía en la mano un billete azul de quinientas—. Menudo es ése cuando le entran las prisas. Ahí llevas para un taxi.

III

Y así me vi de pronto como un potentado, como un reportero enviado en misión urgente, esperando un taxi en la Avenida de América y guardando bien apretado en el bolsillo un billete de quinientas pesetas, alzando la mano por primera vez en mi vida para llamar a un taxi, uno de aquellos milquinientos negros con una franja roja al costado que tenían algo de coches mortuorios y cuyos motores retumbaban con una poderosa sonoridad como de chapas blindadas. Llamé a un taxi con la torpe ineficacia de los principiantes, sin garbo, sin autoridad, sin precisión, de cualquier modo, y varios que iban libres pasaron a mi lado sin detenerse, yo no sé si porque aquél era un tramo particularmente desolado de la calle o por puro desdén hacia mi incompetencia: me faltaban minutos para conocer a mi maestro, Ataúlfo Ramiro Retamar,

---

[8] *Lhardy:* conocido restaurante madrileño, situado en la carrera de San Jerónimo, y cuya especialidad es el cocido.

que llamaba a los taxis como nadie, con una autoridad de resultados fulminantes, citándolos desde lejos con una gallardía
taurina, pero de torero de arte, sin filigranas ni aspavientos.
Ataúlfo bajaba muy erguido de la acera y avanzaba dos pasos en la calzada con los hombros echados hacia atrás y la
mano izquierda en el bolsillo, y apenas levantaba la derecha,
o más exactamente los dedos índice y corazón de la mano derecha, cuando un taxi apagaba ya desde muy lejos la luz verde y se detenía rendidamente junto a él, como un animal violento que se humilla ante su domador.

—Por favor, lléveme a Lhardy.

Un taxista, por fin, se había dignado hacerme caso. Ahora
que lo pienso no era un mal comienzo para mi carrera de
usuario de los taxis, para la que tan dotado me sentí enseguida, y que tan prometedora parecía, pero que no llegó a
durar. No estaba mal saltar velozmente al asiento trasero llevando una máquina portátil de escribir y ordenarle al taxista
que lo condujera a uno a Lhardy, y era magnífico ver la noche de Madrid tras una ventanilla, cruzar las calles anchas y
luminosas del barrio de Salamanca con el mareo de la velocidad y del tráfico, con el aturdimiento algo alucinatorio de
la desnutrición. Como aún no conocía bien la ciudad, toda
ella era una sucesión de desconocimientos y de apariciones, y
de pronto, al final de Serrano, vi la Puerta de Alcalá, más im-
ponente de noche, a la luz de unos focos amarillos, y luego el
taxi bajó como en una caída de montaña rusa hacia Cibeles
y volvió a ascender por la calle de Alcalá hacia la Puerta del
Sol. De no comer casi nada y de estar siempre solo vivía entonces en un trance perpetuo de levitación, entre despierto y
dormido, rodeado, sobre todo de noche, en la negrura fría y
resplandeciente de la noche de Madrid, por una media luz de
sueño.

En la puerta de Lhardy un individuo de traje negro con
corbata gris perla me preguntó sin descruzar los brazos que a
dónde iba, mirando de soslayo mi máquina como si fuera un

bulto sospechoso. Tuve entonces la primera prueba del valor
mágico del nombre de Ataúlfo: fue pronunciarlo y el guardián
hostil se convirtió instantáneamente en guía solícito, y me condujo, dejándome siempre pasar delante de él, cosa que me ponía muy nervioso, por escaleras nobles y pasillos forrados de
madera oscura y sedas suavemente estampadas en las que bri-
llaba la luz de los quinqués, hacia el comedor privado donde
me estaba esperando Ataúlfo.

El guía o mayordomo, ya en un grado de humildad laca-
yuna, me hizo una reverencia al abrirme la puerta para que
pasara al comedor. Era pequeño, y estaba lleno de gente, de
palabras, de risas, de humo de tabaco, de vapores de sopa, de
un olor que me desconsolaba más aún el estómago y me exageraba la debilidad de las articulaciones en las rodillas, un
olor entrañable, como dicen tanto ahora en la televisión, sorprendente de tan familiar y tan antiguo, denso, alimenticio,
caliente, el olor glorioso del cocido, que yo llevaba dos meses
sin probar.

Pero en realidad no había tanta gente ni tanto humo en
aquella habitación. El hambre no sólo distorsionaba las per-
cepciones: también, por efecto de ella, se saturaban muy fácilmente los sentidos, y es tal vez por eso por lo que me per-
día con tanta frecuencia en un estado de irrealidad, estupor y
confusión. Tres personas hablando producían el fragor de una
multitud. En un vagón de metro me sentía lanzado a la velocidad del sonido. Había cuatro hombres y una mujer en la
habitación, sentados alrededor de una mesa con mantel blanco y brillos de porcelana, de cristalería y de plata. Uno de los
hombres iba vestido de *clergyman*, [1] llevaba colgado al cuello
un escapulario o una medalla, tenía gotas de sudor en la frente y estaba fumando un puro, detalle este último que me pareció de una vaga incongruencia. De la mujer recuerdo un

---

[1] *clergyman:* traje de clérigo que sustituyó a la sotana, formado por alzacue-
llo blanco y traje negro o gris oscuro.

moño ampuloso y menos rubio que amarillo, unas pestañas exageradas y pintadas y un crucifijo de Dalí que temblaba ligeramente sobre las amplias blanduras pecosas del escote. Del hombre sentado junto a ella apenas puedo vislumbrar una boca abierta y llena de comida y una servilleta blanca bajo la papada. Al último que vi, porque se había puesto de pie para recibirme, fue a Ataúlfo. Como suele ocurrir, no se parecía en nada a lo que yo había imaginado, no tenía el menor aspecto de solemnidad ni de autoritarismo jurídico. Era alto, ancho, desgarbado, con la cara llena y una tripa poderosa de cervezas y whiskies tensándole el cinturón, con una corbata extravagante y torcida, anticuada entonces, porque era de nudo fino, con un traje gris de pantalón discretamente acampanado, con el pelo negro y echado hacia atrás sobre las orejas y más largo en la nuca de lo que uno podía esperar viéndolo de frente. Tenía unas gafas de montura negra, unas patillas audaces y un bigote fino como de principios de los años sesenta. Llevaba en la mano izquierda un cigarrillo rubio y un vaso largo de whisky y cuando se echaba a reír sus ojos y sus labios se convertían en líneas oblicuas. Con su otra mano apretó fuertemente la mía y me presentó a los demás como si él y yo ya nos conociéramos:

—Aquí os presento a mi mecanógrafo de guardia.

—Qué majo —la mujer me dedicó la ineludible mirada de compasión maternal—. Pero si es casi un niño.

—Pues a ver si despabila y acabamos pronto y podemos proceder a los garbanzos, que se van a enfriar —dijo el clérigo: tenía toda la pinta de ser un impostor, un desaprensivo disfrazado de clérigo, o un actor mal caracterizado en una mala película, con las sienes empolvadas de blanco.

—Que sirvan, que sirvan —interrumpió el gordo de la boca abierta, que la tenía llena de pan—. Y mientras Ataúlfo que le vaya dictando al escribano.

—Escribano, qué palabra más rara —dijo la mujer, aún sonriéndome: al echarse hacia adelante se le ahuecaba el escote y no había modo de apartar los ojos o de fingir que se miraba a otra parte—. ¿No es antigua?

—Antigua y señorial —terció el gordo, con una risa ahogada.

Un camarero trajo, por orden de Ataúlfo, una mesa más pequeña, y hasta un rimero de folios y varias hojas de papel carbón, y luego otros dos empezaron a servir platos de cocido, y mientras yo oía comer y beber Ataúlfo me dictaba inacabables frases jurídicas llenas de subordinaciones, gerundios, cláusulas y considerandos que hubieran dejado exhaustas las reservas pulmonares de cualquiera que intentase leerlas en voz alta. Ataúlfo me dictaba de pie, dando vueltas alrededor de la mesa, sosteniendo ahora en la mano izquierda, aparte del cigarrillo, no un vaso de whisky, sino una copa de vino tinto. Dictaba gerundios y hectáreas y nombres de fincas y cifras de dinero tan barrocas como sus construcciones gramaticales, y de vez en cuando se interrumpía para consultar un papel arrugado que sacaba del bolsillo o solicitar asentimiento de alguno de los comensales, para encender otro cigarrillo o llenarse la copa de vino tinto. Al cabo de un rato yo ya estaba tan mareado de números y de retorcimientos sintácticos y olía tan cerca y tan inalcanzablemente el cocido que contra toda costumbre los dedos se me enredaban sobre la máquina y tenía que mirar el teclado para escribir. Cada vez que uno de ellos se servía un poco más de cocido yo escuchaba el sonido blando y suave de los garbanzos cayendo sobre el plato...

—Y en prueba de conformidad —dijo Ataúlfo en voz más alta, triunfalmente, y al volverme hacia él vi que hacía un ademán como de director de orquesta atacando los instantes finales de una sinfonía— leen y firman en Madrid, a dieciséis de febrero de mil novecientos setenta y cuatro.

—Después de Cristo —dijo el gordo, atragantándose de risa.

Saqué los últimos folios de la máquina y los separé con cuidado de las hojas de papel carbón, procurando no manchar-

los de negro. Ordené las cuatro copias y Ataúlfo las revisó por
encima y se las fue pasando a los demás. «Qué bien escrito»,
dijo la señora, «y qué limpio». El clérigo, que tenía un anillo
con una piedra roja, se estaba escarbando la boca con un mon-
dadientes. Al terminar su aseo, mientras leía la copia del documento, chupaba el palillo con la misma fruición que si apura-
ra un manjar sabroso. En el centro de la mesa, en un gran
recipiente de plata, aún quedaba una cantidad ingente de cocido, de un cocido tan feraz [2] como la sintaxis de Ataúlfo, con
grandes trozos de morcilla, carne oscura de vaca, pechugas de
pollo, muslos morados y musculosos de gallina, lonchas sucu-
lentas de tocino, todo reluciendo bajo la lujosa luz del comedor
como un bodegón, o como uno de esos platos que aparecen
ahora fotografiados a todo color en las revistas de gastronomía.
Desde el triste bocadillo de foiegrás de mi almuerzo habían pasado siete horas.

Mientras ellos firmaban me quedé de pie, como un camarero. Si entornaba los ojos durante un segundo notaba que
me caía hacia adelante, y cuando volvía a abrirlos no estaba
seguro de si lo que veía era real o lo estaba soñando. Firmaron,
volvieron a llenar copas de vino y brindaron chocándolas es-
trepitosamente, alguien dio una palmada y entraron varios camareros trayendo carros de postres, botellas de licores y cubos
de hielo. Los camareros, al pasar, me apartaban a codazos, y
deslizaban justo a la altura de mi cara las bandejas de comida.
Entonces Ataúlfo, que desde la firma del documento perma-
necía ostensiblemente al margen de los otros, se me quedó mirando y me preguntó en voz baja:

—Oye, ¿tú has cenado?
—Algo he picado por ahí.
—O sea, que estás en ayunas.
—Pues sí señor.

---

[2] *feraz:* fértil, abundante en frutos.

Yo creo que me había visto tambalearme un poco y palidecer, y aunque comprendía que no era de buena educación aceptar a la primera que unos desconocidos me invitasen a cenar, me flaquearon las fuerzas morales, y no quise pensar en lo que habría dicho mi padre si pudiera verme unos minutos después, cuando un camarero trajo un plato limpio y un cubierto y me sirvió primero un tazón de sopa que apuré en segundos, sin levantar apenas la cabeza y haciendo posiblemente mucho ruido, y luego un plato de garbanzos que según una etiqueta que me chocó bastante había que comer con tenedor, y no con cuchara, como los hemos comido siempre en mi pueblo. El propio Ataúlfo me sirvió vino en una copa de cristal con dibujos como de bordados, un vino tinto que tenía un resplandor de ascua o de piedra preciosa y un sabor que no llegué entonces a apreciar, porque bebía el vino con la misma urgencia automática con la que me había tomado la sopa, y a continuación, limpiándome someramente la boca con una servilleta, me engolfaba otra vez en el cocido, en los garbanzos más suaves y gustosos que yo hubiera probado nunca y en la delicia de la ternera, del pollo, de la morcilla y el tocino. La copa de vino tinto volvía a estar llena frente a mí: al adelantar la mano hacia ella me di cuenta de que todos, a mi alrededor, habían dejado de hablar y de comer y me estaban mirando, y bajé los ojos hacia mi plato, abrumado de vergüenza, y vi que no quedaba en él ni un residuo de comida.

—A ver si va a sentarle mal, que el cocido es recio por la noche —dijo el clérigo, que volvía a fumar un puro y acariciaba el cristal curvo de una enorme copa de coñac—. De grandes cenas...

—Qué manera de comer —dijo el gordo, conteniendo la risa: parecía que siempre estaba a punto de estallar en una carcajada—. Parece mentira, Ataúlfo, que siendo tú tan rojo tenga tanta hambre tu escribano.

—Ni rojos ni blancos —el clérigo sacudió el humo del puro con un ademán enérgico—. Todos españoles.

—Dejadlo que coma, que a esa edad todavía están desarrollando —la señora se ponía invariablemente de mi parte: ahora le percibía en la voz un deje sudamericano—. ¿No vas a querer un postrecito?

Dije que no, pero me insistieron y no supe resistir, aunque tenía ya muy hinchado el estómago y volvía a morirme de ganas de orinar, y después de una tarta de chocolate y crema tostada me tomé un café, y después del café el hombre del *clergyman* insistió en que me pusieran una copa de coñac, y hasta acepté de no sé quién un puro corto y panzudo que ya acabó de marearme, pues no tenía mucha costumbre de fumar, y las veces que lo había hecho, en mi pueblo, había sido más que nada por no darle una impresión de afeminamiento o falta de carácter a mi amigo Ramonazo. Estábamos celebrando algo que yo no sabía lo que era, algo que según deduje les haría ganar mucho dinero al clérigo, al gordo y a la mujer del escote, y Ataúlfo había sido el mediador o asesor en aquel negocio del que al fin y al cabo también yo, en mi indigencia, resultaba ser beneficiario.

De vez en cuando, mientras comía tarta o intentaba hacer que ardiera el puro, yo miraba a Ataúlfo de soslayo, y él estaba observándome a mí, o bien un poco ausente, sin agregarse ya a las efusiones de los otros ni hacer caso a las bromas sobre su ideología, un poco sudoroso, con el mechón caído sobre la frente, con las piernas separadas en una esquina de la mesa y sosteniendo su largo vaso de whisky y su cigarrillo rubio, siempre en la misma mano, la izquierda. Es así como lo he recordado todos estos años, en la actitud inmutable que tenía entonces, y que no cambió ni al final de su vida, cuando le prohibieron el tabaco y el alcohol sin que él hiciera ningún caso, intuyendo tal vez que de un modo u otro la ruina de su salud no tenía remedio. El cigarrillo americano de contrabando entre el índice y el corazón, la copa sostenida por el anular y el meñique y sujeta por el pulgar, y la mano derecha libre para las gesticulaciones, las palmadas, los puñetazos dialécticos sobre las barras de los bares, el gesto rápido de firmar un cheque, el de llamar a un taxi o el de sacar un billete de mil pesetas del bolsillo del pantalón, pues no llevaba cartera ni monedero.

Un rato antes me caía de hambre: ahora, cuando todos nos pusimos en pie, me caía de hartazgo y de sueño. El gordo se despidió de mí sacudiéndome enérgicamente la mano, diciéndome algo sobre las luchas y las esperanzas de la juventud, que eran, según él, la parte más bonita de la vida. El clérigo, aunque con la cara roja, adoptó conmigo una frialdad de jerarquía eclesiástica, mirándome como muy desde el interior de sus ojos. En cuanto a la mujer, cuyo escote emergía ahora, aún más opulento y más blanco, de un abrigo de pieles, me pellizcó la cara, volvió a decir que yo era un niño y me besó en los labios, dejándome en ellos un rastro cremoso de carmín y el rápido escalofrío de la lengua. Un camarero vino a decir que el coche de los señores estaba esperando abajo. Antes de irse, cuando ya se oían por el corredor los pasos de los otros, la mujer se volvió hacia Ataúlfo y le dijo algo que yo no llegué a escuchar, aunque advertí que le apretaba fugazmente una mano. Ataúlfo se quedó un instante parado junto a la puerta de vaivén, pero enseguida salió de su ensimismamiento y le pidió un whisky a uno de los camareros que recogían la mesa. Antes de que se fuera lo llamó:

—Ah, y otro para el chico.

—¿De uno más corriente? —dijo el camarero, evaluando de un vistazo mi estatura social.

—De malta, como el mío.

De modo que aquella noche no sólo conocí la emoción de viajar en taxi, el cocido de Lhardy, la proximidad de los ricos, el vino de la Rioja, los puros *Rey del Mundo* y el coñac francés: también probé por primera vez el whisky de malta, que tantas ocasiones de recóndita y bien administrada felicidad me sigue procurando en la vida, las pocas veces en que me puedo permitir la adquisición de una botella.

Estábamos solos Ataúlfo y yo, cada uno a un lado de la mesa tan grande, él ejerciendo la sabiduría de fumar y beber con una sola mano, yo olvidándome de que el whisky no se bebía a tragos tan largos como la cerveza y fingiendo que me gustaba fumar, por no hacerle el feo de rechazarle un cigarrillo, intimidado por su presencia, incluso por la de los camareros, por las maderas nobles y los grabados ingleses de los muros, extraviado ya en la irrealidad absoluta, charlatán y beodo, contándole mis planes de convertirme en periodista, pero no la penuria negra de mi vida en Madrid. Me acordé del billete de quinientas que me había dado su mujer, pero él no aceptó las vueltas, incluso me pidió que le dijera cuánto me debía. Antes de que yo pudiera contestarle había sacado un puñado de billetes del bolsillo y dejaba ante mí uno de mil pesetas: el cuarto de la pensión me costaba mil seiscientas al mes, y cincuenta una comida de dos platos y postre en un restaurante barato, de modo que entre esas mil pesetas y las vueltas del taxi yo había ganado en un rato el dinero necesario para mantenerme al menos quince días.

Bajamos a la calle y el aire helado de la noche me devolvió una cierta lucidez, si bien no la suficiente como para contar las campanadas en el reloj de la Puerta del Sol y saber qué hora era. Le dije a Ataúlfo que me iba a mi pensión, y que cuando me necesitara no tenía más que llamarme, pero se lo dije tan bajo que no me oyó, y cuando iba a repetirlo más alto y con la voz más clara vi que alzaba la mano derecha y que un taxi se detenía casi instantáneamente en la acera delante de nosotros. Ataúlfo abrió la puerta trasera invitándome a pasar delante de él.

—Y ahora tú y yo nos vamos a tomar otra copa a la salud de esos cabrones que nos han pagado la cena, y que a mí me dan el cargo de conciencia de hacerme ganar tanto dinero. He dicho.

Y se desplomó dentro del taxi, a mi lado, cerrando de un portazo, limpiándose apresuradamente los pantalones y la pechera de la camisa, porque la ceniza del cigarrillo se le había desprendido y empezaba a notarse un alarmante olor a tela quemada.

IV

Viajábamos en taxi a barrios de Madrid en los que yo no había estado nunca, o que se volvían irreconocibles de noche, en la geografía medio clandestina de los bares de alterne o de las tabernas suburbiales donde camareros de camisas remangadas recibían a Ataúlfo diciendo «Salud» y se recluían con él en reservados o sótanos a los que yo no siempre tenía acceso, igual que más de una vez, mientras él desaparecía con una chica tras la cortina de un club, yo me quedaba en la barra, bebiendo un whisky y llevando el ritmo de la música con los dedos, sobre un forro de eskay en el que las mujeres apoyaban los codos cuando se me acercaban para pedirme fuego o para ofrecerme un cigarrillo. Mujeres de largar faldas-pantalón acampanadas, de escotes profundos, de espaldas desnudas, de peinados altos y rígidos o melenas felinas que les bajaban por los hombros y cuyos colores sintéticos fosforescían bajo las luces turbias de los clubs. Yo solía ir con mi máquina, o con un libro bajo el brazo, y nada más bajar del taxi detrás de Ataúlfo y ver la puerta cerrada y el letrero luminoso donde parpadeaba el nombre del local ya empezaban a darme palpitaciones provocadas por una mezcla de pavor y deseo, de pavor sobre todo, de un miedo absoluto a lo desconocido, y también de una atracción más intensa de lo que yo era capaz de confesar y que se hacía mucho más fuerte cuando Ataúlfo tocaba el timbre, se oía el roce de una mirilla y luego se abría una puerta y salía hacia nosotros el aire caliente de terciopelos sintéticos, de ambientadores y perfumes, aquel olor único de los clubs nocturnos de entonces, que no sé si es el mismo de los de ahora, porque va a hacer veinte años que no piso ninguno. Al cabo de unas pocas visitas a los clubs preferidos de Ataúlfo, las chicas, que al principio me hacían sugerencias eróticas, dejaron juiciosamente de verme, y se limitaban a mantener conmigo castas conversaciones que solían versar sobre los libros que yo llevaba bajo el brazo, y que tampoco daban mucho de sí, aun cuando alguna de ellas mostraba afición a la lectura, pues no era infrecuente que me preguntasen el título y que yo contestara, con la desesperada antipatía de la timidez: «Materialismo y empirocriticismo», por ejemplo, o «Manuscritos de economía y filosofía». [1]

Pero entraba Ataúlfo y se abrazaban a él, le acariciaban el pelo largo de la nuca, le ofrecían un whisky y al servírselo le preguntaban si quería agua y él respondía siempre, provocando siempre la misma carcajada:

—¿Agua? No, por favor, todavía no voy a lavarme.

Tras la última copa y el último club —acabábamos por lo general en uno que se llamaba *Azul*— solía quedarse muy callado, y caminaba lento por la acera hasta la esquina donde llamaba a un taxi, con la corbata torcida y el mechón despeinado, con el cigarro en la boca y las llaves de su casa tintineando melancólicamente en un bolsillo. Durante un rato era como si no me viera, como si se hubiera olvidado de que yo iba con él. Pero si no estaba muy bebido revivía en el taxi: recuerdo sus diatribas anarquistas, su imprudencia absoluta, pues era bien sabido que la mayor parte de los taxistas trabajaban de confidentes para la policía, sus disertaciones brillantes y arbitrarias sobre la perversidad innata de toda organización estatal, lo cual le hacía odiar el comunismo tan violentamente como odiaba el franquismo, incluso tal vez un poco más. Igual

<hr>

[1] Los libros que se mencionan son conocidos textos marxistas: *Materialismo y empiro-criticismo* de V. I. Lenin, y *Manuscritos: economía y filosofía* de Karl Marx.

que muchos anarquistas, tenía alarmantes irresponsabilidades ideológicas que lo llevaban a elogiar las ideas sociales de José Antonio Primo de Rivera, o la aproximación a Falange que según él había emprendido Ángel Pestaña cuando empezó la guerra, después de la cual el padre de Ataúlfo, dirigente confederal en Madrid y amigo personal de Buenaventura Durruti, había pasado muchos años de prisión. [2] Parecía, escuchándolo, que los comunistas habían sido más culpables que Franco de la pérdida de la guerra, y yo, que era un marxista pusilánime y más bien imaginario, pero muy riguroso, de estricta observancia, [3] por así decirlo, intentaba llevarle la contraria a Ataúlfo, pero era imposible, no sólo porque él tuviera mucha más experiencia y más astucia dialéctica que yo, sino porque era invulnerable a cualquier forma de lógica, lo mismo en sus convicciones políticas, o antipolíticas, como él decía, que en su vida personal, y también porque su verbosidad de abogado era inagotable, y le permitía disertar con igual brío en cualquier circunstancia y sobre cualquier cosa, fuese ésta el peligro de una alfabetización universal dictada por pedagogos comunistas o la conveniencia de enviar naves tripuladas a Marte.

Como patrono era espléndido, pero también arbitrario, y podía olvidarse de pagarme durante varias semanas o desaparecer de su casa y de Madrid sin dejar huellas. Pero tan inesperadamente como desaparecía volvía a aparecer, y me mandaba un recado de máxima urgencia a la pensión, y yo tenía que coger mi máquina y salir corriendo en busca de un taxi que me llevara a su casa de la Avenida de América o a cualquiera de los lugares peregrinos en los que se reunía con sus

---

[2] Los nombres mencionados nos trasladan a los años de la II República y la guerra civil: José Antonio Primo de Rivera fue el fundador de Falange; Ángel Pestaña era dirigente de la CNT, central anarcosindicalista; y Buenaventura Durruti, anarquista, fue uno de los más conocidos combatientes en el lado republicano. [3] *estricta observancia:* en algunas órdenes religiosas es el estado antiguo en ellas, frente a la reforma; nótese la ironía que implica el uso de la expresión en referencia a una ideología política.

clientes, y que lo mismo podían ser un restaurante chino de
Embajadores que la biblioteca abrumadora y sombría de un
anciano espectral recluido en un piso inmenso de la calle
Serrano. Yo acudía siempre con la misma prontitud, pero él
había veces que se retrasaba mucho, o que directamente no se
presentaba, dejándome en situaciones difíciles o abiertamente
desastrosas: una tarde de marzo me dio cita a las seis y media
en un chalet de Arturo Soria, y cuando llegué, al cabo de un
viaje de más de media hora, como yo no tenía dinero, le dije
al taxista que esperase un momento, que en seguida volvía.
Pero llamé a la puerta del chalet y aunque se oyó a un pe-
rrazo ladrando en el interior y arañando la puerta nadie vino
a abrirme, y Ataúlfo no apareció, y el taxista, imaginando que
todo era una trampa mía para no pagarle, bajó del coche y
vino hacia mí diciéndome unos improperios que me hicieron
enrojecer de vergüenza y transfigurándose a cada instante, a
cada injuria que decía, en ese tipo de bestia que abundaba
tanto entonces, la bestia bronca y fascista, el español conges-
tionado de soberbia y de rabia que al menor contratiempo es-
grimía en público un carnet de falangista o una pistola. Me pidió el carnet, me dijo que era amigo personal de un policía de
celebridad siniestra al que llamaban Billy el Niño, estuvo a
punto de arrebatarme la máquina de escribir. Con un nudo
en la garganta, con las piernas temblando, porque nunca he
podido soportar que me trataran con violencia, corrí sin saber
hacia dónde y tuve la suerte de encontrar un callejón demasiado estrecho para que el taxista pudiera seguirme. Me refu-
gié en el cobertizo de un jardín abandonado, abrazando muy
fuerte mi máquina de escribir, y sólo me atreví a salir al cabo
de casi media hora, cuando empezaba a oír sobre el techo de
uralita el golpeteo de la lluvia. En el chalet donde me había
citado Ataúlfo seguía sin haber nadie, y el perro, al otro lado
de la puerta, arañaba y ladraba con más furia al escuchar el
timbre. No tenía para el metro: llegué a la pensión después de
las diez de la noche, empapado y hambriento, con los pies do-

loridos por la interminable caminata desde las lejanías del norte de Madrid, pero sin que mi máquina, a pesar de la lluvia,
hubiera sufrido el menor desperfecto. A los pocos días, cuando
le conté en su casa lo que me había pasado, Ataúlfo urdió rápidamente una disculpa, pero se le notaba mucho que estaba
inventando, que tal vez se le había olvidado la cita en el chalet
de Arturo Soria, de modo que acabó rindiéndose, más por pereza por que sinceridad:

—Mira, chico, qué quieres que te diga, la vida no es una
ciencia exacta, como las matemáticas.

A esas alturas del curso yo apenas iba por la Facultad: mi
única relación sostenida con el mundo, con aquel resumen
aterrador y excitante del mundo que era Madrid, la estable-
cía a través de Ataúlfo, que me mostraba anchuras y profundidades de la ciudad que sin él jamás habría conocido, y si
alguna mañana, nunca a primera hora, me presentaba en clase, en alguna de aquellas clases absurdas de Teoría de la
Información o Elementos de Comunicología, mi sentimiento
habitual de encontrarme al margen, de ser un indigente entre todos aquellos hijos de familia que tomaban apuntes y se
paseaban con un libro de Umberto Eco o de Roland Barthes [4]
bajo el brazo, se matizaba ahora con un punto de superiori-
dad, casi de secreta chulería: gracias a Ataúlfo yo estaba co-
nociendo la más cruda, la más secreta realidad, esa realidad
no desfigurada por ideologías y literaturas que fascina tanto a
los literatos, y el ambiente de las aulas y del bar de la Facultad,
que hasta entonces me había parecido amargamente inaccesi-
ble, ahora se volvía irrisorio y pueril, y las asambleas en las que
nunca me atrevía a pedir la palabra y las carreras ante los caballos de los grises que antes se me antojaban épicas empezaron a mostrarme su menesterosa impotencia, su cualidad de

---

[4] Por entonces, Umberto Eco no había publicado ninguna novela, y era conocido, al igual que Roland Barthes, como semiólogo y teórico de la literatura.

escaramuzas casuales elevadas a insurgencias revolucionarias
por el entusiasmo inepto y automático de la prensa clandestina, de desplantes minoritarios y perfectamente inocuos para
la dictadura, tan ridículos como las discusiones en que nos en-
redábamos mi amigo Ramonazo y yo para decidir si después
de la revolución España habría de llamarse República Popular,
como quería él, o República Democrática, como me gustaba
a mí, que por algún motivo perfectamente imaginario prefería la seriedad comunista alemana a las unanimidades oceá-
nicas de los soldados chinos agitando el *Libro Rojo* de Mao, libro que cuando tuve por primera vez entre las manos, no sin
un estremecimiento de clandestinidad, me recordó por su for-
mato, por el color de las tapas, por el papel biblia y por la
solemnidad simplona de los aforismos, al entonces célebre *Camino*, de monseñor Escrivá de Balaguer, [5] si bien esto me guardé mucho de decírselo a Ramón.

Recuerdo el miedo opresivo a los *jeeps* de los grises patru-
llando por la Ciudad Universitaria: las palas de un helicóptero que sobrevolaba las arboledas y los edificios de ladrillo ro-
jizo, los cascos y los relinchos de los grandes caballos alinea-
dos frente a la puerta de la Facultad, una mañana en la que
nos habíamos agrupado irrespirablemente en el vestíbulo después de una asamblea y nos disponíamos a salir en manifestación hacia el Rectorado. Era, acabo de darme cuenta, el día
en que se supo que habían ejecutado al anarquista catalán
Salvador Puig y a un confuso delincuente húngaro o polaco
que se llamaba Heinz Chez. [6] Me levanté y sin pararme a desayunar bajé a comprar el periódico y allí estaba la noticia,

---

[5] *Camino*: obra doctrinal del fundador del Opus Dei, monseñor Escrivá de
Balaguer. [6] El 2 de marzo de 1974 fueron ejecutados a garrote vil el estudiante anarquista Salvador Puig Antich, acusado de asesinar a un policía, y el
ciudadano polaco Heinz Chez, acusado de asesinar a un guardia civil. Estas
ejecuciones se llevaron a cabo pocos días después del discurso aperturista de
Arias Navarro.

sin titulares siquiera, en una esquina inferior de la primera
página, la notificación siniestra y administrativa de que se habían cumplido las penas de muerte dictadas por los tribuna-
les, una en Madrid y la otra en Barcelona, y las dos a garrote
vil, como en los tiempos de Fernando VII.

Era el año 74, ya digo, hace nada, veinte años, y todavía
quedaban serenos en Madrid, verdugos a la antigua y peloto-
nes de fusilamiento, y uno se imaginaba a Franco, el Enano
del Pardo, como le decían en la Radio Pirenaica, [7] firmando
una sentencia de muerte con mano temblona y pergaminosa
de viejo terminal, y oyendo misa y comulgando a continuación. Me hervía la sangre, subía por la calle Princesa en dirección a Moncloa y se me saltaban las lágrimas, de rabia, de
desesperación, de rebeldía enconada y furiosa, de puro aburrimiento, pero apartaba los ojos del periódico donde aquellos
dos asesinatos no ocupaban más que un pequeño recuadro y
miraba a mi alrededor y a nadie parecía que le importara nada, estaban abiertas las tiendas y las oficinas, la gente entraba y salía de las bocas del metro, las grúas y las excavadoras
y las cuadrillas de albañiles con cascos de plástico brillante se
afanaban levantando en un solar inmenso los cimientos y las
primeras armazones de una nueva sucursal del Corte Inglés,
los estudiantes hacían cola en las paradas de los autobuses
azules que llevaban a la Ciudad Universitaria, mansos como
ovejas, pensaba yo, odiándolos, embrutecidos por la ignorancia, por el consumismo, por la televisión, abotargados por el
hábito de la obediencia, vigilados de lejos, con un cierto descuido, por los jeeps de los grises, que esa mañana eran un
poco más visibles, pero tampoco mucho, como si la policía
le quitara de antemano toda importancia a los posibles dis-
turbios.

---

[7] *Radio Pirenaica:* las noticias en español de esta emisora, radicada en terri-
torio francés, eran seguidas en nuestro país clandestinamente por los opositores al régimen de Franco.

La asamblea había votado por mayoría salir en manifestación desafiando a los guardias a caballo. Había un enrareci-
miento de miedo y de muchedumbre en el aire, una inminencia de fatalidad, al menos en algunos de nosotros, o en
uno solo, en mí, que me debatía entre la rabia a la dictadura y el terror a ser golpeado o detenido, [13] que ya me sentía
arrastrado de antemano por el empuje de aquella multitud en
la que estaba preso, que se agitaba como un organismo y se
expandía contra las paredes de cemento de la Facultad y contra las puertas de cristales, que tal vez bajo la fuerza colectiva y ciega del próximo empujón saltarían en esquirlas. Era un
Madrid gris el que yo recuerdo, gris de invierno, de edificios
con las fachadas de granito ensuciados por el gris más oscuro del humo de los coches, gris de uniformes, de jeeps y au-
tocares, de cascos y capotes impermeables de aquellos policías
a los que llamábamos los grises.

Se abrieron de par en par las puertas de cristales y la muchedumbre del vestíbulo retrocedió. Vi a mi alrededor caras
mayoritariamente masculinas, vestidas de oscuro, con abrigos
y trencas y pantalones de pana, con cabellos largos y barbas.
Sobre las cabezas, al fondo, alcancé a vislumbrar la alta línea
musculada de los caballos de los grises, y encima de ellos, de
las cabezas óseas y brutales, alzadas y sujetas por bridas de cue-
ro negro, aparecían idénticas y tranquilas las facciones de los
guardias protegidas por viseras de plástico blindado, los men-
tones ceñidos por barbuquejos negros, del mismo color negro
que las botas y las largas pértigas que usaban luego para gol-
pearnos desde las estaturas aterradoras de los caballos.

---

(13) Obsérvese que sólo en contadas ocasiones se informa de la vida universitaria del narrador. Resulta significativo que el episodio que
aquí se relata sea un intento de manifestación y una violenta repre-
sión policial, que, parcialmente, son autobiográficos (véase la entrevista con el autor en la sección de Documentos).

Las puertas empezaron a abrirse provocando en la gente, silenciosa de pronto, una ondulación de retroceso. Alguien dijo a mi lado: «han advertido que si salimos cargarán». Una parte de mí, irreductiblemente alojada en el estómago, en las náuseas que provocaban el amontonamiento y el miedo, quería marcharse de allí aunque fuese a codazos, esconderse en un aula desierta, en el interior de un retrete, cerrar los ojos y taparse los oídos y no saber nada de los caballos ni del ruido metódico del helicóptero que volaba muy bajo sobre la Facultad, tan bajo que desde el interior veíamos agitarse las copas de los pinos. He dicho que tenía el miedo alojado en el estómago, pero también lo notaba en la vejiga, en un deseo furioso de orinar, y tal vez por eso me imaginaba tan vivamente el refugio de un cuarto de baño. Pero había otra parte, creo ahora que la más volátil, la que de verdad era menos mía, que se impacientaba por salir a la calle y enfrentarse a los grises, por unir su voz ronca a las voces que habían empezado a gritar rítmicas consignas, repitiéndolas cada vez más rápido, a medida que se acercaba el momento de salir, que los guardias tiraban con más fuerza de las bridas haciendo que los caballos levantaran encabritados las cabezas y las patas delanteras y que se escuchaban más cerca las palas del helicóptero:

Fuera la policía de la Universidad.
Fuera la policía de la Universidad.
Fuera la policía de la Universidad.

Yo también gritaba, y eso que me ha dado siempre mucha vergüenza unirme a cualquier celebración colectiva, por culpa de un invencible sentido del ridículo, yo gritaba cada vez más rápido y era empujado hacia el exterior por el río de gente que hacía temblar las puertas de vidrio de la Facultad y que al final las rompió en una granizada y un diluvio de cristales agudos, y no sólo gritaba, sino que también levantaba y

agitaba el puño derecho, y oía el silbato histérico del oficial
que mandaba a los grises y los relinchos de los caballos que
un segundo antes se habían alzado ante mí como un muro de
agua coronado por feroces espumas y que ahora galopaban
detrás de nosotros, y de pronto no podían seguirnos, ahora
me acuerdo, porque un fogonazo de normalidad había irrum-
pido en medio de aquel desastre, y era que los estudiantes habíamos cruzado en masa la avenida Complutense con el semáforo en verde para los peatones, y que cuando los caballos
se lanzaron a la calzada la luz había cambiado al rojo y el
tráfico les impedía seguirnos...

Aprovechamos esos segundos de ventaja para agruparnos al
otro lado de la avenida, junto a un terraplén por el que se ascendía hasta la Facultad de Farmacia, y algunos de nosotros
(yo, aunque parezca mentira, entre ellos) cogimos piedras o
adoquines mientras seguíamos corriendo y empezamos a arro-
jarlos contra los jinetes que ya estaban cruzando la calzada,
aprovechando el cambio del semáforo. El helicóptero volaba
cada vez más bajo, nos atronaba los oídos y nos envolvía en
turbiones de aire, y yo vi que la gente, alrededor mío, corría
muy inclinada, como si luchara contra el viento, y que muchos se cubrían con las solapas de los abrigos y las capuchas
de las trencas: «¡Tapaos las caras, que hacen fotos desde el
helicóptero!», gritó cerca de mí un barbudo que se protegía
con una carpeta, y que con la otra mano lanzaba pedradas
certeras contra los caballos de los grises.

Corríamos hacia no sé dónde entre los árboles, atropellán-
donos los unos a los otros, escuchando ahora por encima de
todo, de los relinchos, los gritos y el motor del helicóptero,
nuestras respiraciones sofocadas, y de pronto nos vimos corriendo hacia un callejón sin salida, entre dos muros muy altos de ladrillo rojo, y al volvernos ya no vimos a los caballos,
sino un gran autocar gris que se nos acercaba muy despacio,
sin ruido, con una solemnidad temible, y a ambos lados del
autocar guardias a pie que llevaban los bajos de los pantalones

remetidos en las botas, y camisas y pantalones de faena en vez
de las chaquetas abotonadas de arriba abajo y los zapatos negros de los guardias normales: quienes nos perseguían ahora,
quienes estaban cerrándonos el paso, eran los antidisturbios,
con las viseras de los cascos bajadas, los escudos al costado y
las porras agitándose como sables recién desenvainados. Ya
no se oían las palas ni el motor del helicóptero y ninguno de
nosotros gritaba: lo que oíamos eran las pisadas de las botas
de los grises sobre la grava, el silbido de las pértigas negras
que agitaban en el aire como sables y los insultos increíble-
mente procaces que nos dirigían, sin duda para exacerbar su
propia furia y nuestro miedo. Hay cosas que uno no puede
inventar ni olvidar: el crujido de aquellos pares de botas negras, el callejón de altos muros rojos que se cerraba delante
de nosotros, las voces de aquellos hombres que nos dirigían
las palabras más sucias de la lengua española mientras se nos
acercaban acompasadamente, bajándose las viseras de los cascos, levantando poco a poco las porras como en un ademán
estatuario de carga de caballería.

Ya no seguíamos corriendo, los quince o veinte de nosotros
que habíamos tenido el acierto de huir hacia un callejón sin
salida. Yo miraba acercarse a los antidisturbios, la espalda
contra la pared, la respiración sofocada, apretando los muslos
para no orinarme, oyendo ahora no sólo las voces roncas y
brutales, sino también los jadeos de aquellas estatuas anima-
das que más que aproximarse crecían hacia mí. Entonces tuve
uno de los pocos golpes de suerte de mi vida, que en conjunto, hasta ahora, ha tendido más bien hacia el infortunio: la
pared contra la que yo me apoyaba cedió, y vi como en un
sueño que caía de espaldas sobre una superficie muy fría, que
alguien me arrastraba, que una puerta de barrotes metálicos
y cristal escarchado se cerraba delante de mí, amortiguando
las interjecciones y los gritos de los policías, y convirtiendo la
figura de uno de ellos en una sombra que ahora se movía en
el cristal y lo golpeaba con tal saña que unos segundos después,

cuando yo corría pasillo adelante arrastrado por alguien, se rompió escandalosamente a mis espaldas.

No llegué a ver la cara del que me había salvado, y si hablé con él lo olvidé por completo después de aquellos minutos de terror. Recuerdo unas gafas, una barba castaña, una bata blanca, un pasillo largo y muy oscuro, con suelo de linóleo, un aula o un laboratorio donde no había nadie y desde donde se escuchaban sirenas. Ya no me molestaba la vejiga, pero tenía una mancha grande y vergonzosa en los pantalones, como una vez, cuando era niño, que me quise colar en el cine de verano y me atrapó el portero, y me oriné justo cuando su manaza me apresaba el cogote.

Por la tarde, aunque él no me había llamado, me presenté en casa de Ataúlfo. Estaba enfermo, me dijo su mujer, que ya había empezado a mirarme con recelo, como a un cómplice precoz en las calaveradas de su marido. Estaba enfermo, pero sus enfermedades, que eran tan arbitrarias y tan variadas como el resto de sus ocupaciones (padecía prácticamente de todo, aseguraba, salvo de impotencia sexual), constituían otra variante de su vida social, y él las aprovechaba para recibir a sus clientes y a sus amigos en la cama, donde adoptaba un abatimiento pensativo, una magnificencia episcopal o nobiliaria. Él, que estrechaba con tanta fuerza las manos, cuando estaba convaleciente extendía la suya como para que le besaran un anillo, y lo más raro de todo era ver desocupada y ociosa la izquierda, yaciendo sobre la colcha en vez de sostener una copa y un cigarrillo. Cuando yo iba a entrar en su dormitorio salió de él un hombre canoso y fornido, de unos sesenta años, que me miró con una expresión perfectamente vacía en los ojos, como si viera a través de mí el papel pintado de la pared. Unos segundos después me di cuenta de que era el clérigo al que yo había visto en Lhardy, sólo que ahora iba de paisano.

Sobre la mesa de noche, en el suelo, encima de la colcha, había papeles jurídicos y cuadernillos de periódicos. Ataúlfo, al principio, estuvo un poco ausente, sin atender del todo a lo que yo le decía. Entonces, recién llegado a Madrid, también me llamaba mucho la atención el poco caso que me hacían los demás cuando yo les hablaba, o lo fácilmente que se distraían. Me dijo que había ido a visitarlo su médico, un camarada libertario y homeópata que era el único miembro de aquella profesión delictiva en el que confiaba: el médico le había hecho prometer que abandonaría el alcohol y el tabaco, y él, hombre de palabra, como anarquista que era, pensaba cumplir a rajatabla lo que había prometido. Le hablé de la manifestación de aquella mañana, y aunque notaba que no parecía interesarle mucho proseguí hasta el final, porque iba a morirme de pena si no lo contaba todo cuanto antes. Sólo salió de su aturdimiento cuando pronuncié el nombre del anarquista ejecutado, Salvador Puig Antich, al que acusaban, sin pruebas, de haber disparado mortalmente a un policía. Ataúlfo se incorporó en la cama, y yo me estremecí al ver que sus ojos, más grandes y más hinchados sin las gafas, se llenaban de lágrimas. Rápidamente las limpió con un pañuelo, haciendo como que lo que se limpiaba era la nariz, y me indicó con un gesto que cerrara la puerta del dormitorio, y que me aproximara nuevamente hacia él.

—Hay algo que no te había dicho hasta ahora, porque quería estar seguro de que eras digno de confianza —me dijo con una gravedad absoluta, con una inmovilidad casi mortuoria en sus rasgos—. Soy el Secretario General de la Federación Anarquista Ibérica. Salvador, que en paz descanse, era uno de nuestros más valerosos militantes.

Se le quebraba la voz. Buscó debajo de la almohada un paquete de Winston que tenía dentro un mechero, pero le temblaban tanto las manos que tuve que ser yo quien sacara el cigarrillo y le diera fuego. [14]

<hr>

(14) Aquí se nos muestra una nueva faceta del «maestro». El humor con que comienza la descripción de la enfermedad de Ataúlfo

V

Durante algo más de un mes pude guardar sin dificultad el secreto tremendo que me había confiado Ataúlfo. Ahora cobraban sentido algunas rarezas que a mí me habían parecido extravagancias, algunas desapariciones y citas enigmáticas y llamadas de teléfono. Por las noches, cuando iba con Ataúlfo a los bares carísimos de la calle Serrano y me alimentaba de vino blanco del Rhin y canapés de langosta después de haber comido a mediodía un perrito caliente, o cuando lo acompañaba a uno de los clubs en los que a mí también me conocían ya, advertía ahora detalles que antes me pasaban desapercibidos, y en los que vislumbraba con admiración y también con un poco de temor y de vanidad los sutiles hábitos conspiratorios de Ataúlfo, sus encuentros de apariencia perfectamente casual con hombres o mujeres que no llegaban a mirarlo y se rozaban con él en el camino hacia el teléfono o los lavabos, pero con los que cruzaba una consigna apenas murmurada, su manera de moverse en cualquier dirección por las escalas sociales, subiendo a los palacios y bajando a las cabañas, [1] como él decía, disimulando magistralmente su militancia incansable bajo un disfraz de despreocupación y aun de libertinaje del que no se despojaba ni en presencia de su propia mujer.

Digo que durante casi un mes fui capaz de guardar el secreto,

---

[1] Alusión a unos conocidos versos del *Don Juan Tenorio* de José Zorrilla: «Yo a las cabañas bajé, / yo a los palacios subí, / yo los claustros escalé» (acto I, escena 12). En esa escena don Juan se jacta de su vida licenciosa ante su rival don Luis Mejía.

contrasta con su reacción emocional posterior y con la revelación de su militancia en una organización clandestina.

y que podría haberlo mantenido mucho más tiempo si no llega a presentarse en la pensión, a finales de marzo, de buenas a primeras, mi casi olvidado amigo Ramón Tovar, cargado con una maleta de madera como las de los reclutas de la generación anterior y con una caja de cartón asegurada con cuerdas en la que me traía un cargamento de víveres providenciales enviados por mi madre, que no se fiaba de mandarlos por agencia, creyendo, tal vez no sin razón, que los sabores y olores que se desprendían del interior de la caja provocarían tentaciones difíciles de resistir en los empleados al cargo de su manejo y transporte. Llegó Ramonazo una tarde hacia las siete, justo cuando yo salía hacia Chicote, donde me esperaba Ataúlfo para que lo acompañase luego en una excursión cuyo destino final no me había revelado, obviamente por razones de seguridad, pero que ya tenía de entrada un excelente punto de partida, sobre todo si Ataúlfo se retrasaba un poco y yo disponía de tiempo para sentarme en la barra y mirar a la clientela mientras sorbía un *whisky sour*, cóctel por el que mi maestro manifestaba una decidida predilección a esas horas de la tarde.

Iba a salir, pues, y apenas pude disimular el contratiempo de ver de golpe a Ramón Tovarich ni responder más que fríamente a sus abrazos, estrujones y palmadas de plantígrado o de dignatario soviético en visita a un país hermano, así como a un truco o habilidad que tenía y que era el de estrechar la mano suavemente, fingiendo una educada corrección, y luego apretar de golpe hasta que a uno le crujían las articulaciones, riéndose de la debilidad de las manos de los estudiantes, que mejor que en las aulas estaríamos en los campos de caña de azúcar, o en las comunas arroceras de Vietnam del Norte, etc. Es posible que deba avergonzarme de lo que voy a confesar, pero lo cierto es que cuando vi a Ramonazo en el vestíbulo de la pensión, soltando una carcajada y una exclamación de alegría al verme, lo encontré, si he de ser sincero, muy basto, mucho más de lo que yo recordaba, basto de apariencia física, de vestuario, de palabras, de acento (las jotas brutales, la entonación cansina de mi pueblo), y cuando me llamó por segunda vez usando el mote o sobrenombre que aún se daba a mi familia (sobrenombre que no creo imprescindible repetir aquí, y que de cualquier modo ha caído hace muchos años en desuso) enrojecí y miré hacia el pasillo temiendo que algún huésped asomara la cabeza al oír aquellas interjecciones más propias de una majada que de una casa de huéspedes:

—Cojones, macho, si no hay quien te conozca, tan blanco, y más seco que el ojo de Benito, con esas melenas de parguela[2] que te has dejado.

Pero era mi amigo, era mi paisano, era un miembro indiscutible y concienciado de la clase trabajadora en unos tiempos en que los ideólogos universitarios y las organizaciones de extrema izquierda buscaban captar militantes obreros con las mismas posibilidades de éxito que si persiguieran unicornios. Ocuparía la otra cama de mi habitación, que se había quedado libre una semana antes, compartiríamos con equidad absoluta nuestro dinero y nuestra comida, y mientras llegaban los buenos tiempos viviríamos con una austeridad maoísta. Ramonazo, que era muy mandón, me sujetó vigorosamente para que no me fuera y me empujó de regreso hacia el cuarto sin oír siquiera las explicaciones que yo le daba sobre un reportaje que debía hacer aquella misma tarde, y con cuya mención casual yo había proyectado impresionarle. Pero a Ramonazo no lo impresionaba nada. La primera travesía de Madrid, esa primera media hora que a mí me abrumó tanto, desde que bajé del tren hasta que llegué a la calle donde estaba la pensión, le había dejado perfectamente frío, incluso algo desdeñoso, y eso que se había atrevido a tomar el metro, proeza que yo sólo acometí después de estudiarme en un plano los números y los recorridos de las líneas. Ramonazo, echado en mi cama, sin quitarse ni las botas,

[2] *parguela:* parecido a una mujer en su persona y en sus maneras; es un andalucismo.

con las manos confortablemente juntas bajo la nuca, me recitó
a toda velocidad los nombres de las estaciones por las que
había pasado hasta llegar a la de la Plaza de España, comen-
tando lo sucio que estaba el metro, lo viejos que eran los trenes
y lo pequeños que le habían parecido andenes y vestíbulos, a diferencia de los del metro de Moscú, del que él sabía que era el
mejor del mundo. «Macho, en Madrid hay que ser tonto para
perderse», me dijo, y yo pensé enseguida que yo debía ser especialmente tonto, porque casi no había vez que no me perdie-
ra ni lugar célebre al que no llegara por casualidad.

Me he dado cuenta de que yo tiendo a magnificar las cosas
nuevas que descubro y los lugares que visito por primera vez,
pero ahora creo que eso no les ocurre a muchas personas. Voy
a otra ciudad, las pocas veces que salgo de mi pueblo, en verano, sobre todo, los años en que mi mujer y yo alquilamos un
apartamento en la playa, y casi todo lo que veo me parece espléndido, desde los restaurantes a los paseos marítimos, y luego me entero de que la ciudad era horrible, la playa insalubre
y los restaurantes vulgares y caros. Casi todo el mundo me parece más inteligente y más próspero que yo. Cualquier comerciante me engaña, porque creo que su sonrisa y sus consejos
son sinceros, así que para desesperación de mi mujer acabo
comprando con toda convicción lo peor. Ramonazo, a diferencia de mí, pertenecía a la estirpe de los que nunca se dejan
engañar, y estando con él yo sentía algunas veces que veíamos
mundos distintos: el cuarto de la pensión, del que yo le había
dicho, con toda sinceridad, que era grande y luminoso, él lo
encontró estrecho y oscuro, y el armario pequeño, y la pensión
de baja categoría, como si hasta entonces él hubiera frecuenta-
do hostales con agua caliente y baño individual, y el barrio
malo, y el agua del grifo insípida... Estas personas provocan
siempre en mí una angustiosa ansiedad por complacerlas, o
porque les guste algo, y como no suelo tener éxito me siento enseguida culpable, como si fuera mía y no de ellos ni del mundo
la responsabilidad de su decepción. A la mañana siguiente,

cuando le mostré a Ramonazo el edificio España y la Torre de Madrid, me dijo que los había imaginado más altos, y que no podían compararse con el *Empire State Building*, cuya altura exacta se sabía él de memoria, así como la del Everest y de la pirámide de Keops: no sé por qué, pero ese tipo de mediciones tendían entonces a fascinar a los autodidactas. [15]

La primera tarde yo había temido que Ramonazo se prendiera de mí con la lealtad atosigante de un paisano que no conoce a nadie más en la capital, y me había apresurado a librarme de él para llegar a tiempo a mi cita con Ataúlfo en Chicote, pero aquella noche, cuando volví a la pensión, cerca de las dos, esperando las quejas de Ramonazo, que se habría quedado solo, aburrido y desconsolado en el cuarto, igual que yo a las pocas horas de llegar a Madrid, y que me envidiaría sordamente por tener amigos y andar por ahí bebiendo whisky y trasnochando con ellos, resultó que él no estaba, y que sobre la mesa de noche, justo encima de un ejemplar de *Diez Minutos*, había un mensaje para mí: *He salido a cenar con una amiga. Volveré tarde. No me esperes.*

Volvió después de las cuatro, silbando, y dejó disperso en el aire de la habitación un olor a colonia femenina y a tabaco negro: luego me enteré de que su novia prochina era también francófila y fumaba Gitanes. Yo había apagado la luz un rato antes, y me hacía el dormido, pero Ramonazo la encendió sin ningún miramiento y me sacudió hasta que ya no pude fingir que no estaba despierto. Se sentó a los pies de mi cama y miró con un gesto de cavilosa tristeza el libro que yo había estado leyendo antes de apagar la luz.

—Macho, me das lástima, tan blanco, siempre leyendo, aquí metido en la pensión, alimentándote de latas.

—Oye, que no hace ni media hora que he llegado...

---

(15) El narrador subraya en estas líneas su tendencia a «magnificar» lo que ve frente a la visión «realista» de su amigo Ramón.

—Y a mí me gusta leer tanto como a ti, pero hay que vivir también, macho, que te quedas pajizo y se te baja la fuerza de la sangre y no empalmas.

—Ni que tú fueras Casanova —concluí, malhumorado, y le di la espalda, tapándome la cara con el embozo.

—No seré Casanova, pero no llevo ni ocho horas en Madrid y ya he ligado —se interrumpió, y prolongó el silencio hasta que yo me volví, incrédulo, algo humillado, testigo de su triunfo—. Una chavala estupenda, la conocí en el tren y quedamos para irnos de mesones por la Plaza Mayor. No te digo más: liberada, estudianta y más roja que tú y que yo juntos... Me juego contigo lo que quieras a que en diez días me la he pasado por la piedra. No veas la tía lo caliente que estaba, me decía que hiciera fuerzas con los brazos para tocarme los músculos, y que le apretara la mano, que le gustaba lo ásperas que yo tengo las mías. [16]

Me costó algo dormirme, no sólo por la incomodidad de tener a alguien más en la habitación, sino porque me puse a pensar en mi novia, mi actual esposa, a la que llevaba dos meses sin ver, y en las mujeres de pechos grandes y blancos y profundos escotes que se sentaban a veces en las rodillas de Ataúlfo acercándole a los labios el filo espumoso de una copa de champán. No soy hombre de récords sexuales, y prefiero con mucho la confortable estabilidad de mi vida a las turbulencias pasionales y adúlteras en las que se ven envueltos algunos de mis amigos, pero en aquella época no era inusual que atravesara por períodos de celo furioso, ni que se me encabritaran la imaginación y los instintos en mitad del insomnio, sin más resultado que un despertar tardío y culpable a la mañana siguiente y un bochornoso lamparón amarillo en las sábanas. Me preguntaba qué pensaría Ramonazo de mí si supiera que no

---

(16) El lenguaje coloquial aparece en diversos lugares, pero quizá el más singular es el que caracteriza a Ramón.

me había acostado aún con mi novia, ni con nadie, él que
nada más llegar a Madrid ya conocía a una mujer liberada, y
que una semana después tenía trabajo en un taller de electrici-
dad del automóvil: un trabajo de verdad, con horarios fijos y
nómina, no como las tareas ocasionales que yo conseguía.

El trabajo, claro, se lo buscó Ataúlfo. Por esa época yo pensaba con absoluta convicción que Ataúlfo podía conseguir
cualquier cosa, que el mundo obedecía a sus menores gestos
y deseos con tan inmediata docilidad como los taxis nocturnos. Los primeros días, Ramonazo salía resueltamente de
la pensión a las ocho, mucho antes de que yo me levantara,
y se daba infatigables caminatas por el centro de Madrid y
viajes en metro y en autobús a los suburbios más remotos y
a los polígonos industriales de las cercanías, preguntando en
todos los talleres de coches, ofreciéndose como peón en todas
las obras, en todas las fábricas y almacenes de mayoristas por
los que pasaba, siempre vestido con una severa y algo menesterosa corrección de solicitante de provincias, con sus zapatos de puntera redonda y tacón pronunciado, sus pantalones de tergal que se planchaba él mismo antes de salir, con
una cazadora de plástico marrón que combinaba con una
corbata y un jersey de lana tejido por su madre, peinado con
raya, afeitado y oliendo a loción, fortalecido por la inque-
brantable creencia popular de que un hombre de bien y un trabajador honrado siempre acaban abriéndose paso en la vida.

Al principio, la primera semana, Ramonazo volvía exhausto
cada anochecer a la pensión, con los zapatos manchados de
polvo o de barro y la barba ya ensombreciéndole la cara, con
un periódico doblado bajo el brazo en el que había subrayado
ofertas de empleo y anotado en los márgenes direcciones, nombres y números de teléfono, y como aún le quedaba algo de
sus ahorros y era muy proclive, con respecto al dinero, a una
mezcla de exhibicionismo y de generosidad, me decía que iban
a llamarlo para trabajar al día siguiente, y que teníamos que
celebrarlo, y me llevaba a alguno de los mesones que había

conocido a través de su novia prochina o a un bar de la calle
Leganitos que le había enseñado yo y en el que daban, por diez
pesetas, un bocadillo tremebundo de tocino asado al que llamaban «un zagal». Yo notaba en él ese exceso de energía ner-
viosa que despierta Madrid en los recién llegados, esa insensata
predisposición de novedad que al principio lo intoxica a uno y
lo enerva mientras camina por las calles como si estuviera respirando un aire de alta montaña: iba a colocarse enseguida, iba
a fundar un sindicato clandestino, iba a irse a vivir a una co-
muna con aquella chica a la que yo aún no conocía, iba a volver a nuestro pueblo cargado de dinero dentro de unos años
para avergonzar y humillar a su padre, que había intentado
darle una bofetada cuando le dijo que se marchaba a Madrid.

Pero poco a poco, como ocurría siempre, la ciudad fue ven-
ciéndolo, y los trabajos se retrasaban para otro día o para otra
semana y las personas a las que llamaba por teléfono nunca
podían ponerse, y cuando se presentaba a primera hora de la
mañana en la dirección de un trabajo anunciado en el periódico ya había una nube de solicitantes que habían llegado antes
que él. Ya se levantaba más tarde que yo algunas veces, y aunque no se olvidaba de afeitarse y de peinarse con raya era posible que no se pusiera corbata, o que no se limpiara los zapatos
con la misma pulcritud que al principio. Seguía fantaseando:
en su imaginación se alternaban los sueños de colectivismo y las
fábulas americanas del triunfo personal, y si unas veces se veía
a sí mismo como un austero trabajador o comisario político en
una gran industria comunista y modélica, había otras en que le
gustaba figurarse que se hacía rico poniendo en el barrio de Salamanca un taller de reparación para coches de lujo, y luego
una sucursal de Rolls Royce, o de Mercedes... [17]

---

[17] Aquí se expone la fluctuación ideológica del personaje entre
un colectivismo de tipo comunista y la «fábula» capitalista del «hombre hecho a sí mismo».

Llegaba con paso cansino a la pensión, soltaba el periódico doblado y manoseado y se echaba en la cama con gran ruido de muelles, pues a pesar del hambre que estaba empezando a pasar aún le quedaban reservas de los embutidos y potajes del último invierno. Si yo, que conocía los síntomas de la penuria secreta, le ofrecía un bocadillo de foiegrás o una lata de algo, él lo rechazaba, contándome la comilona imaginaria que se había dado unas horas antes por una cantidad ridícula en algún restaurante de Carabanchel o de Vallecas, tres platos, vino, postre y café, y para terminar un puro y una copa de Fundador, no como en esos comedores universitarios a los que acudía yo, en los que daban comidas como para enfermos, sopitas claras y lonchas transparentes de jamón york empanado con hojitas de lechuga, alimentos de intelectuales y de tísicos a los que seguramente les añadían bromuro para convertirnos a todos en eunucos.

La mala racha coincidió con una de las desapariciones de Ataúlfo, al que había notado yo últimamente, después de su enfermedad y de la confidencia que me hizo, más absorto y más reservado conmigo, como si tuviera una preocupación demasiado grave para ocultarla bajo su costumbre de apariencia jovial, o peor aún, como si yo, sin darme cuenta, hubiera hecho algo indigno de su confianza y ahora se arrepintiera de habérmela otorgado. Siempre que alguien me conceptúa positivamente me pregunto cuánto tardará en sentirse defraudado por mí. Llamaba a casa de Ataúlfo y su mujer o uno de sus hijos me decían secamente que no estaba y que no sabían cuándo iba a volver. Pensé que podía estar oculto, que tal vez lo habían detenido a raíz de la ejecución de su camarada anarquista o que había escapado a Francia. Y de pronto una tarde, al volver a la pensión, la patrona me dio uno de aquellos mensajes lacónicos que a él le gustaba tanto dejar: *Topic's Diego de León 9,30 noche.*

Convencí a Ramonazo para que viniera conmigo, aunque no sin dificultad, porque al principio me dijo que tenía una

cita con su amiga liberada, y que además no estaba interesa-
do en conocer los ambientes corruptos de la alta burguesía:
más disfrutaba él, me dijo, comiéndose un trozo de salchichón
y otro de pan en el tajo de una obra que en esos restaurantes de lujo donde hasta los garbanzos se comían con cuchillo
y tenedor y los camareros de guantes blancos seguramente se
la sacudían a uno cuando terminaba de mear. No sin remordimiento pensé que yo sí prefería los restaurantes de lujo a las
fiambreras y los bocadillos proletarios, pero me guardé mucho
de decirlo, y cuando ya había renunciado a convencer a Ramonazo tuve la sorpresa de que él cambiara desganadamente de
opinión y accediera a venir conmigo, sin mucho interés, desde
luego, como si estuviera haciéndome un favor.

En el metro fue diciéndome de memoria y con los ojos cerrados los nombres de las estaciones a medida que nos apro-
ximábamos a ellas. Yo le adelantaba con entusiasmo rasgos
excéntricos o admirables de la personalidad de Ataúlfo y por-
menores sobre las maravillas que nos aguardaban en el *Topic's*,
que fue uno de los primeros restaurantes en régimen de autoservicio que se instalaron en Madrid, y el primero, por supuesto, en el que había estado yo. Al llegar vigilé con avidez
la expresión de su cara, con esa angustia por agradar a otros
que ya he mencionado aquí, y que posiblemente, dicho sea
de paso, haya tenido alguna vez efectos nocivos en mi vida,
impulsándome a hacer no lo que yo deseaba, sino lo que yo
suponía que otros esperaban de mí. A Ramonazo, aunque él
intentara disimularlo, la visión de los limpios espacios lumi-
nosos y de los expositores de comidas del *Topic's* lo conmo-
cionó: las grandes mesas rojas que se alineaban hacia el fondo y en las que podían comer confortablemente más de mil
personas, los letreros de neón indicando entradas y salidas, las
vitrinas de cristal y la superficie de acero inoxidable sobre la
que uno deslizaba su bandeja e iba escogiendo entre aquella
inagotable variedad de manjares, muchos de los cuales veíamos por primera vez y no sabíamos qué eran, pero tenían

colores tan vivos, brillos tan cremosos de salsas, que la boca
se nos deshacía en saliva, como ante el escaparate de una pastelería. Los *Topic's* eran en aquellos tiempos como catedrales
de la alimentación moderna, de un industrialismo saludable e
higiénico, de una velocidad americana, todo lo cual a mí me
gustaba mucho, sobre todo después de que a la segunda o a la
tercera visita, siempre en compañía de Ataúlfo y subvenciona-
do por él, ya me hubiera familiarizado con los procedimientos
del autoservicio, que no estaban tan exentos de complicaciones
como ahora puede pensarse.

Por el camino yo había temido que Ataúlfo tardara mucho
en llegar, o que no se presentara, condenándonos a Ramonazo y a mí al suplicio de esperarlo con los estómagos tan va-
cíos como los bolsillos. Pero hubo suerte, y justo cuando nosotros empujábamos la puerta del *Topic's* se detenía ante ella
un taxi del que bajó no sin dificultad el insigne Ataúlfo, limpiándose luego con ademanes señoriales, parado en medio de
la acera, la ceniza que le habría caído en las solapas y en los
pantalones durante el viaje, pasándose la mano derecha por
la frente para echarse hacia un lado el largo mechón y ajus-
tándose por fin la corbata mientras miraba disimuladamente
alrededor, con ese automatismo y esa oculta sagacidad que re-
velaban al militante experto, al luchador clandestino que lleva
media vida eludiendo los peligros horrorosos de la persecución
y la cárcel, incluso burlándose de ellos.

—Ahí está —le dije a Ramonazo—. Ése es mi amigo Ataúlfo.

—Pues vaya pinta de burguesón que tiene el tío —Ramonazo eligió una entonación despectiva, casi amenazadora.

—No te fíes de las apariencias...

Los presenté: Ramón miraba a Ataúlfo con una hosca timidez que a lo largo de la cena adquirió modales de jactan-
cia. En la cola del autoservicio llenamos nuestras bandejas de
toda clase de platos rebosantes, animados por Ataúlfo, que
apenas llevó nada para él, porque en realidad comía muy poco,
y que luego, en la mesa, nos miró devorar con una sonrisa en

la que había por igual distracción e indulgencia, un no estar del todo allí más acentuado cuando sorbía un poco de vino o daba una chupada al cigarrillo. Le pregunté dónde había estado y me contestó: «Por ahí, de viaje», mirándome de un modo que daba a entender claramente la inconveniencia de una explicación ante extraños. Le recordé su promesa de abandonar el tabaco: me contestó con toda seriedad que, según descubrimientos recientes, los cigarrillos, al tranquilizar a quien los fumaba, ayudaban a prevenir el infarto de miocardio, resultando así que la nicotina era tan beneficiosa para el corazón como el alcohol para la circulación sanguínea. Cuando terminamos de cenar nos ofreció su paquete de Winston. Yo cogí uno, aunque no acabara de creerme aquellos descubrimientos científicos, y Ramonazo lo rechazó, sacando ostensiblemente un paquete de venenosos Celtas Cortos.

—Yo fumo negro sin filtro —declaró, mientras señalaba hacia mí—. No me pasa como a éste, que en cuanto viene a la capital cambia de costumbres.

Veía con tristeza que mis dos amigos no estaban cayéndose bien, y eso me daba el sentimiento opresivo de haberme equivocado al reunirlos, de encontrarme yo en medio, queriendo inútilmente agradar a los dos, buscando temas neutrales de conversación que pudieran interesarles sin alimentar su mutua hostilidad y sus ganas de diatriba, y no logrando tal vez sino que los dos me detestaran, diciéndose cada uno que si yo era amigo del otro no podía ser más que un botarate o un farsante, cosa que en determinadas situaciones yo también he llegado a pensar. Aquella noche estaba claro que los dos no querían secundar mis desesperadas tentativas de apaciguamiento, y que buscaban motivos para discutir igual que yo me devanaba la imaginación queriendo hallar puntos de acuerdo. El anticomunismo de Ataúlfo alcanzaba su más feroz intransigencia con respecto a la China Popular, país al que calificaba sin reparo de colonia de insectos, y que al establecer relaciones diplomáticas con el régimen de Franco merecía más

aún el desprecio de los hombres libres. Al oír tales cosas, a las
que yo ya estaba acostumbrado, Ramonazo no supo reaccionar, y fue montando lentamente en cólera hasta que yo vi que
se le encendía la cara, que movía los labios para decir algo y
balbuceaba, y tras dar una calada larga y ansiosa a su Celtas
dio un puñetazo en la mesa y le dijo a Ataúlfo:

—Usted, lo que es, es un burgués y un socialfascista.

Se puso en pie, y yo creí que se marchaba, pero sólo iba
al servicio. «Pobre chico, qué amarguras tiene que estar pasando», dijo Ataúlfo, viéndole alejarse con su severidad maoísta y
sus andares de gañán entre las mesas pintadas de rojo y la
clientela frívola y bien vestida del *Topic's*. Me preguntó cómo
se ganaba la vida: le dije que no se la ganaba, que se le había acabado todo el dinero y era demasiado orgulloso para
confesarlo o para volver derrotado a nuestro pueblo. Le hablé de todos los años que llevaba trabajando a jornal, de la
intransigencia de su padre y de la crueldad y la codicia del
dueño del taller de donde se había marchado Ramonazo unas
semanas antes. Me hizo un gesto para que cambiara de conversación: Ramonazo volvía del lavabo. Se había echado agua
en la cara, sin duda para aliviar el sofoco de la disputa y de
la comilona, y parecía mucho más apaciguado. Ataúlfo propuso que fuéramos a tomar un whisky: Ramonazo objetó sin
hostilidad que a él no le gustaba el whisky porque sabía a
chinches, pero que nos invitaba a una copa de anís Machaqui-
to. Al salir del *Topic's*, Ataúlfo le puso una mano en el hombro
para decirle algo, y yo noté que ese gesto halagaba a Ramonazo hasta un punto que él nunca sería capaz de confesar. En
el taxi encajó aceptablemente bien una broma de Ataúlfo sobre la imaginación de los sastres maoístas.[3] A la tarde siguiente, un viernes, lo llamó a la pensión el dueño de un taller

---

[3] El régimen de Mao impuso una indumentaria uniforme para todos los
chinos; ahí reside la comicidad del chiste de Ataúlfo —desde su anarquismo—
sobre la imaginación de los sastres maoístas.

de coches que dijo ser amigo íntimo y cliente de Ataúlfo. El lunes empezó a trabajar. El sábado, recién cobrado el primer sueldo, nos invitó a cenar a Ataúlfo y a mí en el *Topic's*, y no se cansaba de darle las gracias, de llenarle la copa de vino y de insistirle, con machaconería pueblerina, para que comiera más. Pero ya no cobró un segundo sueldo. El miércoles siguiente se presentó en la pensión a media mañana, cuando yo aún no me había levantado: el fascista del dueño acababa de echarlo, dijo, acusándolo de hacer proselitismo comunista entre los obreros del taller. Se sentó en la cama, se tapó la cara con las manos y murmuró: «Y ahora cómo se lo cuento yo a Ataúlfo».

VI

Recuerdo, seguramente sin motivo, una primavera gris, de domingos largos y nublados sin lluvia, una lentitud de expectativa y de amenaza en el paso del tiempo. En el armario de nuestra habitación yo guardaba los paquetes de comida que me mandaba cada cierto tiempo mi madre, y al abrirlo el olor de los embutidos se mezclaba con el de la ropa colgada y con el de la madera vieja, con ese olor de las profundidades domésticas en las que también podía estar escondido un manual de guerrilla urbana impreso en Pekín (ahora creo que se escribe Beijín o Beiyín) o un par de calcetines usados que a cualquiera de los dos se nos hubiera olvidado lavar. Me levantaba muy tarde, desayunaba galletas untadas con leche condensada que olían a armario y las pocas veces que iba a la facultad apenas cruzaba una palabra con nadie. *Jeeps* grises con las ventanas y los faros protegidos por rejillas de alambre

permanecían estacionados en fila en algunas avenidas de la
Ciudad Universitaria, y grupos de jinetes cabalgaban al paso
con las viseras de los cascos alzadas y las pértigas negras col-
gadas en sus fundas, junto a las ancas de los caballos. Muy
pocas veces se oían sirenas, y el helicóptero no había vuelto
a sobrevolar las arboledas ni los edificios de cemento o de ladrillo rojo donde los estudiantes parecían haber aceptado definitivamente la rutina de estudiar y obedecer, de no meterse
en nada, de no mirar hacia las caras de los grises cuando se
cruzaban con ellos.

En cuanto a mí, ya no me desesperaba, ya no me moría de
impaciencia por lanzarme a la calle coreando consignas y agitando el puño cerrado en medio de una multitud. El incidente
de primeros de marzo, cuando estuve a punto de ser detenido, me había hecho descubrir melancólicamente la intensidad
insuperable de mi cobardía. A nadie, ni a Ataúlfo ni a Ramón,
le confesé que me había orinado en los pantalones. En los televisores en blanco y negro seguían apareciendo Franco y
Arias Navarro y toda aquella caterva de dignatarios fascistas
de los que ya no queda ni rastro, afortunadamente, en la memoria de nadie, como si pertenecieran a otro siglo, a otro mundo, el mundo en blanco y negro y gris de una remota dictadura.

Parecía, en aquella primavera de 1974, antes de la revolución portuguesa de abril, que nada iba a cambiar nunca, y
cuando alguien recordaba aquel verso de un poema de Brecht,
la más larga noche no es eterna, uno pensaba que sí, que la noche
franquista sí iba a serlo, porque nadie tendría la paciencia, la
obstinación o el coraje de esperar su fin, y porque el fascismo, desde Chile, estaba volviendo a ensombrecer el mundo.
Nuestra generación, la de Ramonazo y la mía, fue la última
en llegar al antifranquismo, y nos tocó la paradoja de here-
dar, con dieciocho años, la tradición de derrota de las generaciones anteriores, de respirar un aire enrarecido por treinta
y tantos años de desaliento y de invenciones gloriosas y absurdas

de huelgas generales que no fueron vencidas porque nunca llegaron a existir. En el País Vasco se había impuesto el estado de excepción. Por algunos parques de Madrid, incluso por los pasillos de alguna facultad, llegó a verse el prodigio fugaz de una muchacha que corría desnuda: era una moda que venía de los campus universitarios de América, y que aquí no llegó a calar, y se llamaba el *streaking*, un cuerpo desnudo atravesando como un rayo los lugares más usuales y más tristes, y desapareciendo luego sin dejar ni un rastro de su resplandor.

Los locutores de la Radio Pirenaica aseguraban que el régimen franquista estaba dando sus últimos coletazos. Los folletos que leía tan misteriosamente Ramón Tovar aseguraban que el imperialismo y el fascismo eran tigres de papel. Ni él encontraba trabajo ni yo llevaba camino de convertirme en periodista. En el fondo, a los dos nos daban ganas de dejarlo todo y volver a nuestro pueblo, donde al menos nunca iba a faltarnos un plato caliente y un buen brasero de candela para protegernos del frío, pero ninguno de los dos podía soportar la indignidad de ser el primero en confesarlo. Yo le escribía casi diariamente a la que en la actualidad es mi mujer. Alguna de aquellas cartas anda todavía por los cajones de la casa, y si me atrevo a leerlas me da un acceso insoportable de vergüenza, de piedad y ridículo. Uno tiende instintivamente a favorecerse en los retratos del pasado que traza la memoria. Luego descubre en una carta de hace veinte años lo que pensaba y sentía de verdad entonces y se ve como era, no ingenuo, sino simple, fanático en vez de ilusionado y rebelde, pretencioso, ignorante, más bien idiota, pero sobre todo lejano, tan inalcanzable en esa distancia como la fotografía de un desconocido, usando palabras que ahora juraría no haber escrito ni dicho nunca. [18]

(18) Un documento de aquellos años, una carta, hace reflexionar al protagonista sobre la deformación que impone el transcurso temporal en la memoria.

Después de que lo expulsaran del taller, Ramonazo estuvo mucho tiempo sin atreverse a aparecer ante Ataúlfo, a quien ese proselitismo de mi amigo, tan insensato como desagradecido hacia él, le confirmó en su idea de que el comunismo, más que una ideología, era un grado extremo de cerrazón mental. «Pobre chico», me decía, «es muy buena persona, pero se le está poniendo cara de comisario político». Por esa época, durante el mes de abril, Ramonazo había empezado a aplicar a rajatabla su teoría sobre el ahorro energético, y por no desperdiciar reservas no se levantaba de la cama y apenas se movía en ella, quieto en la oscuridad, porque la luz, al parecer, desgastaba, y no salía ni para ver a su célebre novia prochina, cuya rigurosa invisibilidad ya me estaba haciendo sospecharla inexistente. No sé cómo, a primeros de mayo, de aquel mayo en el que casi a diario publicaba *Informaciones* fotografías de la revolución portuguesa, Ramonazo consiguió un empleo en una pista de coches de choque.

Yo estaba ya mezquinamente aburrido de él, porque nada desgasta más la amistad que el poco espacio y la penuria compartida en una ciudad extraña, de modo que me alegró saber que pasaría una parte del tiempo fuera de Madrid, si bien seguiría pagando la mitad de la habitación, detalle éste, como tantos suyos, de una generosidad, me temo, superior a la mía. Las dos o tres primeras noches disfruté de estar solo, de no aguantar sus bromas rústicas ni sus tentativas de adoctrinamiento maoísta, pero muy pronto, como todavía ahora suele ocurrirme, la soledad me desarmó hasta ese grado peligroso en el que a uno le extraña el sonido áspero de su propia voz y le da miedo hasta cruzar unas palabras con cualquier desconocido, y no se atreve, por no enfrentarse a ellos, ni a entrar en un estanco para comprar un sobre, ni a alzar la voz cuando le llega el turno en una tienda.

Tan deprimido me sentía que me faltaban ánimos para llamar a Ataúlfo, o para presentarme sin previo aviso en su casa, como había hecho algunas veces, aunque aquel lugar me entristecía, aquellos pasillos y habitaciones en los que era difícil ver a alguien, aquella mujer que siempre estaba como recién levantada, con los labios pintados, la rebeca echada sobre el camisón y las zapatillas viejas. Viéndola uno no podía asociarla a Ataúlfo, en parte porque yo nunca los había visto ir juntos por la calle, y él nunca hablaba de ella, y tampoco de aquellos hijos incoloros, situados vagamente entre el final de la infancia y la adolescencia, con los que yo alguna vez me encontré en el pasillo. Era, pensé a veces, como si la mujer, el piso y los hijos formaran parte de una vida falsa, de la identidad mentirosa que se había forjado Ataúlfo para ocultar su condición de secretario general de la temible FAI, cuyas hazañas épicas en la defensa de Madrid él me relataba tantas veces, sobre todo cuando íbamos en un taxi y le pedía al conductor que se desviara hacia Argüelles, la Ciudad Universitaria, el Parque del Oeste o los barrios del Sur para explicarme con exactitud dónde estaban las líneas enemigas y las libertarias, desde dónde disparaban los leales a los falangistas refugiados en el Cuartel de la Montaña, en qué lugar preciso cayó muerto Buenaventura Durruti, asesinado, según Ataúlfo, por sus enemigos comunistas, que no podían tolerar la primacía heroica de las milicias anarquistas en los primeros meses de la guerra.

Veía así otro Madrid a través de las palabras y los itinerarios de Ataúlfo, y las mismas calles por las que yo había caminado muchas veces a solas, sofocado por el tráfico, distraído en la lectura del periódico, se convertían en escenarios de batallas feroces y de hazañas populares, y una esquina trivial en la que Ataúlfo me señalaba la huella de un impacto de bala o una calle en la que se levantaron barricadas para resistir el avance de las tropas marroquíes de Franco cobraban invisiblemente para mí una entidad de monumentos civiles. En una plazuela sucia de Lavapiés, Ataúlfo me mostró una modesta fuente pública en la que había un letrero que yo no habría observado si él no me lo llega a señalar: *República Española,*

1934. En el Paseo de Rosales, una tarde de mayo, mientras
bebíamos horchata en una de aquellas admirables terrazas som-
breadas de árboles, perfumadas por el olor a savia que traía el
viento suave de la Casa de Campo, me contó que se acordaba
de haber ido de la mano de su padre por aquel mismo lugar,
un primero de mayo muy caluroso de hacía tal vez cuarenta
años, con pantalones cortos y alpargatas limpias y un pañuelo
rojo y negro alrededor del cuello. Al hablar no miraba hacia
mí, sino hacia la otra acera del paseo, como si estuviera viendo en ella su recuerdo.

Ataúlfo había elegido un velador muy apartado de los
otros. Me había llamado esa mañana a la pensión para citar-
me a las seis en aquella terraza, advirtiéndome que no era necesario que llevase mi máquina de escribir. En el taxi del que
se bajó, vi con toda nitidez un perfil femenino y una melena
rubia que me fueron tan inmediatamente familiares como los
rastros de perfume intenso y exótico que provenían de Ataúlfo
cuando se sentó frente a mí: la mujer del taxi era la misma a
la que yo había visto en Lhardy dos meses antes, y Ataúlfo
traía un aire tan obvio como de risueña lasitud[1] que incluso
yo, a pesar de mi ignorancia prácticamente absoluta, lo asocié
a la satisfacción sexual. Qué tío, pensé, admirándolo ilimita-
damente, sin la más leve sombra de envidia o rencor, como
tal vez sólo admira uno a esas edades. Pero él, aun sabiendo
que tenía resumido en mí a todo un público incondicional de
sus hazañas, no alardeó de nada ni hizo mención alguna de
la rubia con la que seguramente había compartido unas horas
de fogoso deseo en la habitación de un hotel. En cuanto el
camarero nos trajo las horchatas le pagó, sin duda para tener
la seguridad de que no volvería a acercarse, pero lo llamó rápidamente nada más probar su refresco, que se apartó de los
labios con un gesto de asco: le pidió un whisky, y cuando el

---

[1] *lasitud:* cansancio, desfallecimiento.

camarero le preguntó que si lo quería con agua Ataúlfo le dijo que no, que no pensaba lavarse. Yo ya iba conociéndolo, y me daba cuenta de que estaba a punto de hacerme una revelación, y de que las rememoraciones de su infancia y las llamadas al camarero no eran sino recursos para tensar mi atención, para sugerirme que estuviera preparado. No me equivoqué. Ataúlfo bebió un trago de whisky haciendo con la lengua un chasquido sediento de felicidad, encendió despacio un Winston, le dio una calada muy larga, me exigió con solemnidad casi amenazadora un juramento de secreto sobre las cosas que iba a decirme y me pidió, mirándome a los ojos y sin cambiar el tono de voz, que me uniera a una conspiración encaminada a derribar en el plazo de veinte días el régimen del general Franco. (19)

Me quedé sin habla. Me dieron de pronto unas ganas terribles de orinar, pero los ojos de Ataúlfo me tenían hipnotizado, y su mano derecha me apresaba con un inflexible ademán de exigencia, mientras la izquierda, como si personificara la mitad frívola y vitalista del temperamento de Ataúlfo, sostenía el cigarrillo y el vaso de whisky. Yo sentía a partes iguales entusiasmo y terror, orgullo heroico y ganas de salir huyendo, y era incapaz de articular una sola frase inteligente y de eludir aquella mirada imperiosa que seguía esperando una respuesta. ¿Quién era yo para que Ataúlfo solicitara mi ayuda, qué concepto tenía él de mí para considerarme digno no ya de participar en una revolución, sino de conocer un secreto del que dependían las vidas de muchas personas y el porvenir inmediato de España?

—No quiero empujarte ni obligarte a nada —me dijo—. Si crees que no debes unirte a nosotros, no tienes más que

(19) Un poco antes se insiste en la admiración del protagonista hacia Ataúlfo. Recuérdese que la sorprendente proposición de Ataúlfo tiene un precedente en la confesión del capítulo IV.

decírmelo, y yo lo único que te voy a pedir es que guardes el
secreto. Tú me conoces: no soy comunista, y no me gusta
chantajear a nadie, así que si tu respuesta es no, yo no voy a
dejar de ser amigo tuyo. Es posible que antes de tomar una
decisión quieras hacerme algunas preguntas, pero te aviso que
a algunas de ellas no estaré autorizado a contestar. Habrás leído estos días en los periódicos que ha habido algunos cambios
en la Junta de Jefes de Estado Mayor, y que el general D**
(aquí pronunció Ataúlfo el nombre de aquel general a quien
habían empezado a enviarle monóculos por correo) ha tenido
que volver a toda prisa de un viaje oficial por el extranjero.
Maniobras desesperadas de un régimen que se derrumba...
Antes de tres semanas la División Acorazada Brunete habrá
entrado en Madrid, y la Brigada paracaidista de Alcalá de
Henares estará tomando al mismo tiempo los centros neurálgicos: la Televisión, Radio Nacional, los principales ministe-
rios. Los movimientos de tropas no levantarán sospechas: si te
has fijado, en los últimos días han publicado los periódicos,
de manera rutinaria, las fechas de próximas maniobras militares... [20]
 —¿Y la guardia civil? —acerté a preguntar.
 —Se mantendrá escrupulosamente neutral, como en el 31.
¿Tú no sabías que Franco tuvo pensado disolverla? La semana
pasada hubo una reunión con el director general. Garantizan
el orden, y no ponen más condiciones que la de atar corto a
los comunistas. ¿Te acuerdas de un chalet de Arturo Soria
donde te cité una vez, que estuviste llamando y no te abrieron? Estábamos empezando a negociar con el teniente general A** T** (aquí dijo Ataúlfo otro nombre que incluso ahora,

---

(20) Al evaluar alguna de las suposiciones de los personajes hay
que recordar que, en aquellos años, muchos creían que un militar desempeñaría un importante papel en el desarrollo de la situación política.

tantos años más tarde, sería temerario repetir). [21] La reunión se prolongó más de la cuenta, y cuando tú llegaste el general aún estaba en el chalet...

—Yo oía ladrar a un perro. Ladraba muy fuerte y arañaba la puerta.

—Era uno de los doberman del teniente general...

Pero cómo era posible, le dije, que una organización como la FAI, que había renegado siempre de los pactos con la burguesía, según el mismo Ataúlfo solía explicarme, aceptase ahora un pacto con lo más negro del aparato represivo franquista, el ejército y la guardia civil, incluso con la jerarquía católica, porque también me dijo que algunos de sus miembros más señalados participaban en la conspiración: era preciso acabar con la dictadura, me contestó Ataúlfo, y los militares y los eclesiásticos más inteligentes sabían que si no se la eliminaba pronto, arrastraría al país entero a una caída en el desorden y el caos, tal vez a una nueva guerra civil, como la que posiblemente iba a estallar en Portugal muy pronto, cuando los comunistas quisieran asaltar el poder...

—¿Habéis contado con el Partido Comunista?

—Nadie debe quedarse fuera —Ataúlfo adoptó una entonación magnánima—. En menos de un mes habrá un Gobierno provisional que convocará elecciones constituyentes para después del verano. Los comunistas podrán presentarse a ellas como cualquier otra fuerza política que acepte los principios democráticos.

—¿Y se proclamará la República? —hice esta pregunta con miedo, porque entonces había, incluso dentro de la izquierda, algunas personas no demasiado hostiles a una restauración monárquica.

---

(21) El narrador no dice los nombres de algunos de los personajes; unos aparecen con nombres falsos, otros con apodos, y de otros sólo se nos dan las iniciales. En cualquier caso, el trasfondo histórico es muy preciso.

—Por supuesto —Ataúlfo levantó su vaso de whisky y lo chocó jovialmente contra el mío—. La Tercera República Española.

VII

Al anochecer caminé hacia la pensión mareado por la felicidad y por el whisky, casi respirando ya la libertad futura en la tibieza del aire, sobrecogido y exaltado por el compromiso que acababa de aceptar, y que me obligaría, estaba seguro, a superar el miedo, a arrojarme mucho más allá de lo que yo hasta entonces había creído posible, librándome de la indignidad y de la cobardía. Ataúlfo había tenido que marcharse a toda prisa después de hacer, desde una cabina, una llamada de teléfono, disculpándose luego por no poder decirme a quién. Me pidió que continuara como si tal cosa mi vida normal, que no lo llamara a su casa, y que si recibía instrucciones de hacerlo no utilizara el teléfono de la pensión, sino uno público, desde el que no debería repetir las llamadas más de dos veces. De manera inmediata mi única tarea iba a consistir en esperar: debía estar siempre preparado para acudir donde se me ordenara sin hacer preguntas, acaso para transportar sobres cuyo contenido no estaría autorizado a saber. Tal vez, llegado el momento, se me pidiera que actuase de enlace con los líderes estudiantiles de la facultad... Esto último me alarmó, atosigándome con ese antiguo miedo mío a defraudar, pues a los líderes estudiantiles yo no los conocía de nada, aunque alguna vez, por agradar, hubiera fantaseado amistades con ellos delante de Ataúlfo, y si él me pedía que se los presentara iba a encontrarme yo en un aprieto semejante al de Sancho Panza cuando don

Quijote le pidió que lo guiara al palacio de Dulcinea del Toboso. [1]

Mi primera noche de conspirador la pasé casi en vela, dando vueltas en la oscuridad, encendiendo la luz cuando ya desesperaba de poder dormir, sintonizando una radio pequeña que tenía Ramonazo a ver si lograba captar Radio París o la Pirenaica. El efecto del whisky se me pasaba al mismo tiempo que iba arreciando el hambre, y con ella los desvaríos febriles de la imaginación. [22] Carros de combate, banderas rojas y republicanas ondeando igual que llamaradas sobre las muchedumbres, himnos, todos los himnos prohibidos durante más de treinta años sonando en todas las emisoras de radio, *la Internacional, A las barricadas, el Himno de Riego*, y confundiéndose por lo pronto en las calenturas de mi insomnio. Era posible que a Ataúlfo, a pesar de sus reticencias de apoliticismo libertario, lo nombrasen para un cargo de mucha importancia, ministro de justicia o fiscal del Estado, y que yo, como ayudante o secretario suyo, me hallase en la situación privilegiada de asistir a los acontecimientos históricos, convirtiéndome de golpe en la clase de periodista que me gustaba ser, un nuevo John Reed narrando los días que muy pronto iban a estremecer el mundo. [2] Sentía esa noche, esa interminable madrugada en la que la claridad del día me sorprendió con los ojos abiertos, una mezcla de premura y de pavor semejante a la que provocaban entonces en mí las expectativas sexuales. Logré dormirme cuando ya alborotaban el corredor de la pensión los huéspedes más madrugadores, y tras un sueño

---

[1] Puede verse el pasaje en *Quijote*, II, cap. 9.   [2] Se alude al libro de John Reed *Diez días que estremecieron al mundo*, sobre la revolución soviética, que tuvo hace unos años una exitosa adaptación cinematográfica.

(22) Obsérvese que la alusión a la obra de Cervantes se relaciona con los «desvaríos febriles de la imaginación» del narrador.

que me pareció tan breve como un parpadeo me sobresaltó el timbre del teléfono, que sonaba en los fondos de la casa, pero que me había hecho incorporarme como la alarma de un despertador. Me estaban llamando, pensé medio en sueños, era Ataúlfo o alguno de sus cómplices que me reclamaba para que cumpliera una misión tal vez muy peligrosa a la que no podía negarme, entregar una carta en un lugar que estaría rodeado por sociales, [3] servir de cebo, dejar en los lavabos de una cafetería un paquete en el que estaba escondida una bomba... Los pasos de la patrona venían por el corredor: iba a detenerse ante mi puerta y a golpear en ella con su discreción habitual, casi derribándola, y me iba a decir que había una llamada telefónica para mí.

Lo hizo. Salté de la cama y me vestí a toda prisa y de cualquier manera por miedo a que cuando llegara al teléfono la comunicación se hubiera interrumpido. El teléfono estaba al final del recodo más lejano del pasillo, en un gabinete donde la patrona, su familia y los huéspedes se mezclaban desahogadamente cada noche para ver la televisión. El auricular colgaba de la repisa sobre la que estaba el aparato, oscilando, como en esas películas en las que una puñalada o un disparo interrumpen en lo mejor una conversación telefónica. Lo levanté casi temblando, murmuré inaudiblemente «diga», con una absurda precaución como para que mi voz no fuese reconocida, y me atronó el tímpano el silbido mortífero de Ramonazo, que ponía en práctica otra de sus habilidades más célebres, aprendida según él en los tiempos en que su padre, antes de colocarlo como aprendiz de mecánico, lo puso de mozo de pastor. [23]

---

[3] *sociales:* policías de la Brigada Político Social.

(23) La tensión cinematográfica creada anteriormente, el auricular del teléfono oscilando, se resuelve humorísticamente con el silbido de Ramón.

—¡Venga, macho, espabila, que son las doce del día! —tras el dolor agudo del silbido, las voces de Ramón acabaron de despertarme, dejándome a partes iguales en un estado de alivio y de decepción—. Oye, estudiante, que te llamo para que te vengas a Parla, que estamos aquí con la pista de coches de choque y hay fiestas, y como estoy parando en casa de un paisano y tiene camas libres pues hemos pensado que a lo mejor te sienta bien dejar los libros y mezclarte con el pueblo. Para tu información te diré que hay unas chavalas que te mueres...

—Me gustaría mucho, pero no puedo, Ramón —dije, intentando adoptar una entonación que fuese al mismo tiempo resuelta y sugerente, incapaz de no traslucir, aunque fuera en un grado mínimo, la novedad de mi compromiso secreto—. Tengo cosas importantes que hacer.

—Como no sea una reunión de la tuna...

—No me insistas Ramón —en realidad Ramón no había insistido—. Aunque quisiera no podría decirte nada.

Juzgué prudente colgar. Era viernes por la mañana. Faltaban menos de veinte días para el golpe de Estado. Puse la radio: canciones tontas en los cuarenta principales, anuncios de frigoríficos y de muebles, noticias de inauguraciones oficiales y de audiencias concedidas en el palacio del Pardo por su Excelencia el Jefe del Estado, o Su Excremencia, como decía Ataúlfo. Lo más excitante era que estaba a punto de suceder un cataclismo y no se traslucía nada en la apariencia de las cosas: así debía de haber sido en Portugal la mañana del 24 de abril, o en Managua, en 1972, los minutos previos al gran temblor de tierra. Desayuné galletas rancias y leche condensada y bajé enseguida a buscar el periódico. Una noticia en las páginas de información nacional me hizo detenerme en seco: el teniente general T**, el mismo que se había reunido con Ataúlfo en un chalet de Arturo Soria, el dueño del doberman cuyos ladridos y arañazos había escuchado yo una tarde de marzo, declaraba en la ceremonia de inauguración de un nuevo acuartelamiento que la guardia civil sabría siempre estar a la altura de sus responsabilidades históricas...

Pensé con vanidad, casi con lástima, en los enterados que pululaban por la facultad dándoselas de activistas. Intelectuales, con sus barbas escasas y sus libros de Poulantzas [4] y de Roland Barthes bajo el brazo, con aquel aire como de pertenecer a un club secreto y exclusivo; me acordé de los amigos que seguían languideciendo en mi pueblo sin sospechar siquiera lo que yo sabía, lo cerca que estaba el final de la dictadura, justo ahora, cuando parecía no haber ninguna esperanza, y me dieron ganas de llamarlos a todos, de enviarles un mensaje anónimo que los alentara a resistir. Pensé de pronto, con algo de culpabilidad, en mis padres, de los que llevaba días sin acordarme, y que iban a sufrir mucho cuando empezara todo, temiendo, como temían siempre, que me ocurriera algo, que me viese yo envuelto, por mi cabeza atolondrada, en tiroteos y motines sangrientos como los que ellos habían presenciado en los comienzos de la guerra. Posiblemente tenía la obligación moral de ponerles al tanto de lo que iba a ocurrir, pero no estaba seguro de nada, y no tenía a nadie con quien consultar, porque a Ataúlfo no podía llamarle... ¿Y no sería prudente que le avisara también a mi novia?

Pero yo había prometido mantener un secreto. Compré una barra de pan y un cuarto de mortadela en la mantequería de abajo y me hice un bocadillo en mi habitación. Mientras comía, mientras esperaba, como un centinela que a pesar de la aparente normalidad nunca baja la guardia, olí el aroma de cocido que ascendía desde el patio de luces, junto a las conversaciones de la hora de comer, el ruido de agua y de platos en los fregaderos y la sintonía de los noticiarios radiofónicos. Cada vez que sonaba el teléfono yo me llevaba un sobresalto.

---

[4] Nicos Poulantzas, ensayista griego, autor, entre otras, de obras como *La crisis de las dictaduras: Portugal, Grecia, España* y *Para un análisis marxista del Estado*.

Pero era viernes por la tarde, y la pensión estaba quedándose vacía, y a medida que se acercaba el anochecer se hizo más profundo el silencio. Tenía la ventana abierta, y a pesar de los olores a sumidero y a aceite refrito que entraban por ella al final de la tarde pude percibir también esa tibieza alentadora del aire de mayo.

Intenté leer y no podía. Saqué del fondo del armario la máquina de escribir y empecé una carta para mi novia, pero fui incapaz de ir más allá de la primera línea, así como de encontrar un eufemismo lo bastante claro como para sugerirle expectación y cautela y tan sutil que nadie más que ella adivinara el mensaje: *Se aproximan acontecimientos históricos*, o, bien, *lo que tanto esperábamos está a punto de llegar*, etc. ¿Pero no tardaría demasiado en llegar una carta, no estaría yo exponiendo a mi novia, con mi silencio, a un peligro atroz, habida cuenta de que su padre era un miembro significado de la guardia de Franco, y que su casa podría ser asaltada en la confusión de los primeros tumultos? Arranqué el folio de la máquina, lo rompí en trozos muy pequeños que tiré después por la taza del wáter y fui al gabinete para llamarla por teléfono. A sus padres, en esa época, nuestro noviazgo les parecía una desgracia, así que yo no la llamaba casi nunca a su casa. El gabinete estaba en penumbra, y no se oía a nadie en toda la amplitud de las habitaciones y los corredores. Yo tenía guardadas unas pocas fichas: me pregunté si me concederían el tiempo suficiente para alertar a mi novia, y si no estaría cometiendo una imprudencia al llamar desde la pensión.

Pero el teléfono emitió un violento timbrazo justo antes de que yo lo tocara. Una voz de mujer con un acento extranjero casi imperceptible preguntó por Ramón. Dije que estaba en Parla, y que volvería el lunes, y al colgar vi la penumbra de aquel gabinete rancio a mi alrededor y cayó sobre mí todo el peso de la soledad del viernes por la noche en una ciudad demasiado grande y demasiado ajena, en una pensión vacía, y eché tanto de menos a mi amigo que me dieron ganas de

salir velozmente a la calle y de tomar un autobús que me
reuniera con él, para hartarnos juntos en las fiestas de Parla
de cubalibres y pinchitos morunos, para arrimarnos, como él
decía, a las chicas desvergonzadas y rotundas que rondarían
hasta muy tarde por la pista de coches de choque... Pero jamás me habría perdonado a mí mismo que llamara esa noche Ataúlfo y no me encontrara dispuesto a cumplir una misión, por modesta que fuese, por arriesgada que me pudiera
parecer.

Cené galletas y leche condensada. Me quedé dormido encima de la colcha mientras escuchaba el noticiario de las once
de Radio París, en el que por mucha atención que puse no
detecté nada extraordinario. El sábado amaneció lluvioso, con
esa tristeza inhóspita y como vengativa que tiene el regreso
del mal tiempo en los días de mayo. Madrid era entonces, de
nuevo, esa grisura del nublado, del humo de los coches, del
granito sombrío de las iglesias y de los edificios franquistas, el
mismo gris monótono de los uniformes de los guardias, de los
muebles metálicos de las oficinas y de los trajes de anciano
paternal y temblón que vestía el general Franco. Se me estaba acabando la reserva de leche condensada y de galletas, de
modo que me era necesario salir si no quería fenecer de ina-
nición, o de esa peculiar melancolía de estómago y de alma
que da al cabo de muchos días de alimentarse de bocadillos
y de latas, y de observar que por mucho cuidado que uno
ponga, en los libros quedan migajas de pan y manchas su-
brepticias de aceite.

Me dije que un día era un día y entré a desayunar en la
cafetería Yale, donde me encontré con aquel paisano mío que
estudiaba idiomas. Llevaba yo unas cuarenta y ocho horas sin
hablar con nadie, y al principio tardé en reaccionar, y me oí
una voz destemplada, como las voces de los sordos. Tenía tan
extraviado el sentido de la realidad que cuando mi paisano
me preguntó por Ataúlfo pensé que lo decía con segundas, y
que me miraba de una manera rara, como si sospechara el

secreto de la conspiración. ¿Acaso no estaban las facultades llenas de sociales? Le contesté secamente que Ataúlfo y yo apenas nos veíamos, y me marché después de repetir el ademán de la otra vez, aquel gesto de llevarme la mano al bolsillo de la chaqueta con la suficiente lentitud como para que él me detuviera: «Anda, déjalo, ya pagarás tú otra vez», me dijo con su insoportable suficiencia, «y dale recuerdos a Ataúlfo».

¿No le había dicho yo que apenas nos veíamos? ¿Por qué entonces ese «dale recuerdos», esa sonrisa como de no creer una palabra? No podía uno fiarse: en cualquier parte, en cualquiera, podía acechar el peligro, y bastaría un paso en falso, una palabra de más, para que el éxito de la sublevación quedara comprometido fatalmente. [24] Volví a la pensión en busca de refugio, aterrado por la responsabilidad que Ataúlfo había hecho caer sobre mí, inseguro de mi fuerza para sostenerla, para ser digno de la amistad de aquel hombre. En el portal me mareó el olor casi sólido de los jamones y los chorizos de la mantequería. Subí corriendo los tres pisos de escaleras, porque había empezado a sonar un teléfono. Abrí la puerta de la pensión jadeando y el teléfono no había dejado de sonar. La dueña, una señora asturiana, joven, rubia, muy amable, gordita (los pasillos y el gabinete estaban decorados con recuerdos de Asturias), me dijo que la llamada era para mí.

—Hay que ver, lo importante que se nos ha vuelto, que tiene más llamadas que un ministro.

Esta vez sí escuché la voz de Ataúlfo, no tan castiza y jovial como de costumbre, muy cautelosa ahora, como si hablara cubriendo con la mano el teléfono. «Toma un taxi», dijo sin preámbulo, «ven a casa ahora mismo».

Había muy poco tráfico en la mañana desierta y lluviosa del sábado. Llegué a la calle Quintiliano en menos de quince mi-

---

(24) Nótese que la participación en la conjura afecta a la situación emocional del protagonista.

nutos. En la ventana del despacho de Ataúlfo se movió una
cortina: era obvio que me esperaba con mucha urgencia. En
el rellano, antes de tocar el timbre, escuché unos gritos que
parecían quejidos de animal. Era un llanto como yo no lo
había oído nunca, hecho no de sollozos, sino de alaridos, de
brutalidad y desgarro, como de locura, como si a la mujer
que gritaba le estuviesen hincando un cuchillo en el vientre
y retorciéndole con obstinación y torpeza la hoja mellada. En
mi familia las mujeres lloraban, pero no lloraban así. En ocasiones los gritos se convertían en la articulación de una palabra que a mí, al otro lado de la puerta, me costaba entender. «Mentira», oí, «mentira y nada más que mentira y siempre
mentira». Distinguía en un tono mucho más bajo y conti-
nuo la voz de Ataúlfo, pero en ella no podía aislar ninguna
palabra.

Hubo un silencio y llamé. La puerta se abrió instantáneamente, y Ataúlfo, despeinado, sin gafas, ocupó todo el hue-
co, como para evitar que me vieran desde el interior, y me
puso en las manos un sobre y dos billetes de mil pesetas y
volvió a cerrar en menos de un segundo sin decirme nada.
Como esas luces blancas que se ven al cerrar los ojos, a mí
me pareció que había visto al fondo del pasillo a la mujer de
Ataúlfo.

En el sobre había escrito a mano un nombre de mujer y
una dirección: la de un club, recordé, a espaldas de la Gran
Vía, en el que Ataúlfo y yo habíamos acabado algunas noches, y donde él desaparecía tras una cortina, y volvía a salir
al cabo de una hora o tres cuartos, recién peinado y pensativo, fumando luego silenciosamente en el taxi de vuelta. Pero
yo había prometido cumplir órdenes y no hacer preguntas:
viajé de nuevo en taxi por la ciudad casi vacía y vigilando con
disimulo las esquinas más próximas llamé a la puerta del club,
que a esa hora de la mañana, con la grisura de la llovizna,
tenía un aire descorazonador, una vulgaridad de puerta metá-
lica. Parecía mentira que despidiera ese brillo tenue de noche,

que uno la viera envuelta en una bruma de fanal. Me abrió un individuo en mangas de camisa que ni siquiera tenía aspecto de matón. Quién podía sospechar, pensé admirativamente, que en ese lugar, el club *Azul*, estuviera uno de los centros neurálgicos de la conspiración antifranquista.

Pregunté por la señora, de la que sólo recuerdo ahora el nombre, Nati. Me dijo que de parte de quién: de parte de un amigo, contesté, inseguro de si debía o no mencionar a Ataúlfo, y como el hombre, con un brillo de desconfianza en los ojos, me miró de arriba abajo, añadí: «de un amigo abogado». Me hizo pasar a un patio muy estrecho donde había un somier herrumbroso y una pila de embalajes de cartón reblandecidos por la lluvia y luego a un portal como de casa antigua, donde esperé a solas unos minutos, mientras le oía hablar a él en voz baja, las frases separadas por tramos de silencio, como si hablara por teléfono. Volvió y me dijo: «Puedes subir. Es el segundo derecha». Ahora, al cabo de tantos años, eso es también Madrid para mí, un recuerdo de casas antiguas con portales en sombras, con peldaños barnizados o de áspera madera desnuda gastada por los pasos, con olores profundos de humedad y de tienda de ultramarinos. El color gris, los zaguanes, el aire caliente de los respiraderos del metro.

La puerta del segundo derecha era muy alta y estaba pintada de un verde oscuro y reluciente. A la altura de mis ojos había una mirilla de cobre dorado. Una chica muy joven que se secaba las manos en un mandil blanco me abrió y me condujo a lo largo de un pasillo a una habitación sofocante decorada en azules, sin ventana, con cortinas azules, con moqueta azul eléctrico, con un papel pintado de rombos y de filigranas azules que provocaba un efecto óptico cambiante, con un diván azul a lo largo de las paredes, esponjoso y sintético, como los divanes de los clubs de alterne. Había también un mueble bar en el que relucían bajo una luz intensa y oblicua botellas de cristal tallado, y un cenicero con una cabeza dorada como de don Quijote y un recipiente para el cigarrillo en forma de bacía. [5]

La chica me invitó a sentarme y salió dejando entornada la puerta, en la que había un espejo de cuerpo entero. Me vi hundido en la espuma azul del diván, tratando de mantenerme recto, con las rodillas juntas, con el sobre de Ataúlfo en las manos, flaco y pálido, con esas patillas absurdamente peludas y largas que ahora me sorprenden tanto en las fotos de aquel tiempo.

Me vi solo unos segundos. Inmediatamente después, tras un sonido rápido de tacones, el espejo desapareció y tuve ante mí a la mujer más guapa que yo había visto en mi vida. Han transcurrido casi veinte años, y sigo manteniendo esa misma afirmación. Era una mujer muy alta, más alta aún sobre los zapatos con plataforma que se llevaban entonces, con el pelo largo y liso y tan negro que tenía relumbres metálicos, con unas pestañas muy largas que ahora, retrospectivamente, comprendo que eran pestañas postizas, los labios gruesos y pintados de rosa claro y los dientes frontales ligeramente separados. Llevaba una bata de seda azul muy ajustada a las caderas por un cinturón de un azul más oscuro, y un instinto más sabio que yo mismo me hizo comprender que bajo la seda de la bata sólo estaba su piel.

Me tendió la mano, mostrando al sonreír sus dientes separados: no sin dificultad me levanté para estrechársela. Le di el sobre y lo desgarró delante de mí, y mientras iba leyendo la carta de Ataúlfo alzaba fugazmente los ojos para mirarme, como calculando si yo sabía algo de su contenido. Observé que leía situando el papel de modo que recibiera un máximo de luz, y que movía despacio los labios murmurando cada palabra. Terminó la carta y se la guardó de cualquier modo en un bolsillo, sin molestarse en ponerla otra vez en el sobre.

------

[5] *bacía:* vasija que usaban los barberos para remojar la barba; es el «casco» utilizado por don Quijote, que, según él, sería en realidad el yelmo del rey moro Mambrino (*Quijote*, I, 21).

—¿No hay nada más? —me preguntó, mirándome muy fijo con sus ojos grandes y miopes, ligeramente húmedos tras las pestañas tan largas.

—Nada más —y añadí, sin propósito: —Por ahora.

No llamó a la criada. Me acompañó ella misma a todo lo largo del pasillo, y al tenerla tan cerca yo oía el roce suave de la piel y la seda. Me abrió, salí al descansillo, me volví para decirle adiós y quedé paralizado y fulminado durante las décimas de segundo más memorables de los dieciocho años de mi vida. El cinturón se le había soltado y estaba desnuda delante de mí, desnuda y con una mancha de rímel en los pómulos. Luego supe, me lo contó Ataúlfo por teléfono la última vez que hablé con él, que la policía se presentó en la casa menos de una hora después de que yo me marchara, pero que ella, cuando llegaron, ya había quemado la carta y pulverizado las cenizas.

VIII

El lunes por la mañana Ramonazo volvió a la pensión. Venía bronceado y enérgico, con una camisa de verano abierta sobre el pecho peludo, como un legionario, más gordo, fortalecido por el trabajo y la intemperie, con un rastro de grasa negra en las manos, como en sus mejores tiempos de mecánico. Le gustaba su empleo en la pista de coches, si bien había tenido algún mal encuentro con los macarras de suburbio que la frecuentaban, nada grave, me dijo, soltando una carcajada tan victoriosa como un relincho, lo había resuelto todo en tres minutos sin más ayuda que la de sus músculos y la de una llave inglesa que traía consigo y que desplegó ante mí y depositó encima de la mesa, sobre mis papeles, como si fuera

una espada gloriosa, el emblema de la primacía del trabajo
manual sobre las blanduras y las tonterías del intelectualismo.

Pensé que casi le envidiaba su inconsciencia. «Si él supiera», me repetía a mí mismo, mirándolo, oyéndole decir sus
barbaridades gozosas, el número de cubailbres que había in-
gerido en una sola noche, el golpe de través que le había dado
en el lomo a un macarra de Parla con su llave inglesa, el dinero que había ganado y el que iba a ganar, porque esa semana la pista se quedaba en Madrid, en unos descampados de
Aluche, pero el día quince empezaba una gira por el norte, y
a él le habían ofrecido, aparte del sueldo, comida gratis y cama
en una *roulotte* último modelo, para que siguiera cumpliendo
su doble tarea de mecánico y de guardaespaldas.

—Macho, me ha tocado la lotería. El negocio me gusta, y
está chupado manejarlo, así que si le echo huevos en unos años
tengo mi propia pista, un río de oro, lo que yo te diga.

—¿Y no piensas colectivizarla?

—No hará falta. Una pista de coches de choque no es un
modelo de producción. ¿Te has enterado, teórico socialfascista, marioneta de Moscú? Lo malo de esto es que salgo de gira la semana que viene y voy a tener que dejar la habitación.

—Yo que tú no haría muchos planes de futuro, por ahora
—se me había presentado mi oportunidad y la aproveché: no
seguí hablando, pero sostuve la mirada interrogativa de Ramón.

—¿A qué te refieres? —tenía miedo: me di cuenta de que
temía que yo tuviera noticias de que su padre iba a venir a
buscarlo. Entonces uno no era mayor de edad hasta que no
cumplía veintiún años.

—Tranquilo, hombre, no me refiero a nada —dije dispuesto a no traicionar mi secreto por mucho que mi amigo insis-
tiera.

Pero, para mi decepción, Ramonazo estaba tan eufórico
que se olvidó enseguida de mi sugerencia. Yo había planea-
do callar inflexiblemente si continuaba haciéndome preguntas, pero no hizo ninguna, y me sentí algo molesto, como si de

pronto a Ramón no le importara en el mundo nada más que el negocio opulento de los coches de choque. Del bolsillo trasero del pantalón sacó un fajo de billetes, hizo dos montones idénticos, humedeciéndose el pulgar de la mano derecha al contar el dinero, y puso uno de ellos delante de mí.

—A rajatabla, como en las comunas: igualdad absoluta —me tendió la mano, se la estreché y de pronto sentí que trituraba la mía, riendo a carcajadas—. Qué falta te está haciendo una temporada en la zafra...

Fuimos a comer a una fonda gallega de la calle Toledo que le gustaba mucho a Ramonazo. Nos bebimos una botella entera de vino tinto, como cuando íbamos en nuestro pueblo al *De aquí no paso*, pero yo creo que a pesar del vino y de las debilidades fatales de mi carácter a las que ya he aludido la culpa de mi indiscreción imperdonable la tuvo el orujo, bebida incendiaria y maldita con la que Ramonazo insistió en brindar por nuestra amistad y por el triunfo de nuestros sueños, y luego por la revolución, y hasta por el equipo de fútbol de nuestro pueblo, momento en el cual yo no supe seguir callándome y le pregunté que si se sentía seguro de guardar un secreto, de no repetirle a nadie, absolutamente a nadie, bajo ningún concepto, en ninguna circunstancia, aunque lo torturaran, ni una sola de las palabras que yo le iba a decir. Protestó con amargura, ofendido por mi desconfianza, apuró su vaso de orujo y dio una palmada para que nos trajeran más, yo creo que asustando al gallego pusilánime que nos atendía, y entonces yo, deshecho de gratitud por lo amigos que éramos, tan seguro de él que pondría sin vacilación la mano en el fuego, empecé haciéndole algunas sugerencias misteriosas y acabé contándoselo todo, todo lo que yo sabía, los nombres de los generales, las unidades militares que estaban comprometidas, las fechas del avance hacia Madrid de la División Acorazada, todo, incluso detalles que Ataúlfo no me había revelado pero sobre los que yo conjeturaba, como por ejemplo el cargo exacto que él, como secretario general de las fuerzas anarquistas, ostentaba en el comité secreto de la sublevación. Puse, como suele decirse, toda la carne en el asador, pero fue en vano, porque mis revelaciones impresionaron a Ramonazo tan escasamente como le había impresionado la altura de la Torre de Madrid.

—Eso es una barbaridad, una trampa de la burguesía y de los aparatos represivos del Estado —dictaminó, inapelable, atufándome con una bocanada de humo, pero no de Celtas Cortos, sino de Marlboro, porque las ilusiones empresariales habían despertado en él una notable afición al rubio americano—. Si pactáis con la Banca, con el Ejército, con la Iglesia y con los monopolios estáis traicionando a la clase obrera, la estáis entregando atada de pies y manos a las fuerzas contrarrevolucionarias. Macho, qué asco. No esperaba esto de ti.

—Pero vendrá la República... —argumenté sin consuelo, transformado de pronto, a los ojos de mi amigo, de luchador revolucionario en monaguillo de la reacción—. Habrá elecciones libres.

—Una república burguesa —al decirlo Ramón hizo una mueca de asco—. Acuérdate de Lenin: Libertad, ¿para qué?

Confieso que no se me ocurrió ninguna respuesta. Hay personas que nacen para discutir igual que otras nacen para estar de acuerdo, y yo soy de las segundas. No sé llevar la contraria, y no sólo porque me falte valor y me dé miedo que se enfaden conmigo sino porque honradamente no se me ocurre cómo hacerlo. Se nos había hecho tarde y estábamos solos en el comedor del restaurante gallego, que tenía redes de pesca algo mugrientas colgando del techo y mesas de formica marrón con manteles a cuadros, sobre las que había siempre jarras de agua hechas de estaño y pintadas de azul. Ramonazo miró el reloj (se había comprado uno, voluminoso y digital, cien por cien sumergible, explicaba) y me dijo que tenía prisa, porque estaba citado con su amiga maoísta para ir al hotel Palace, a que les dieran libros, revistas y pañuelos con las efigies de Marx, Engels, Lenin, Stalin y Mao en la sede provisional de la embajada china. Nos despedimos sin efusión junto al mercado de la Puerta de Toledo, a la entrada del metro: Ramonazo, que iba a marcharse andando, se consideró en la obligación de explicarme el itinerario que yo debía seguir hasta la Plaza de España, sin olvidarse del transbordo en Sol ni del nombre de ninguna de las estaciones por las que yo pasaría si no me extraviaba.

—No se te ocurra decirle nada a nadie —le repetí, muy serio—. Por lo que más quieras, Ramón, no se lo cuentes a tu amiga.

Volvió a jurarme que de su boca no saldría una palabra, me dio una palmada tranquilizadora en el hombro antes de separarse de mí en las escaleras del metro, pero incluso yo, que me lo creo todo, me di cuenta mirándolo a los ojos que Ramonazo no iba a tardar ni media hora en contar lo que yo le había contado, y en contárselo nada menos que a una fanática maoísta, y quién sabía si también a los miembros de una célula de recitadores del *Libro Rojo* intoxicados de maximalismo,[1] que sin la menor duda harían cuanto pudieran por sabotear la revolución, pretextando con ceguera criminal, con una irresponsabilidad tan suicida como la de la extrema izquierda chilena, que la democracia burguesa era una traición a los intereses de clase de los trabajadores. Iba yo por los túneles del metro como esa gente cabizbaja y alucinada que al principio de estar en Madrid me llamaba tanto la atención, sin mirar en torno mío, asustado, arrepentido, irritado conmigo mismo, murmurándome insultos, queriendo arreglar lo que ya no tenía remedio, hacer que retrocediera una hora el reloj para corregir mi indiscreción, mi debilidad imperdonable, la prueba de que no merecía que se me confiara ningún secreto, de que cada vez que alguien creía descubrir algo valioso en mí se condenaba automáticamente a la decepción.

---

[1] *maximalismo:* actitud de los que son partidarios de soluciones extremadas para lograr cualquier objetivo.

Pensé en llamar a Ataúlfo y en contarle un embuste para que
diera la alarma a los conspiradores sin necesidad de descubrir
mi indiscreción, pensé salir del metro cuanto antes y en tomar un taxi para llegar a la puerta del hotel Palace antes que
Ramonazo y apartarlo de su amiga con cualquier pretexto,
arrebatándole la posibilidad de traicionarme, si es que no lo
había hecho ya, no en la primera media hora, sino en los primeros minutos, por teléfono, a fin de contarlo todo antes...

Pasé tumbado en mi habitación una tarde horrorosa, muy
lenta, con el estómago insoportablemente pesado por el lacón
y los garbanzos gallegos, con la cabeza trastornada todavía
por la mezcla insalubre de vino tinto a granel y orujo fulmi-
nante, dejándome envolver poco a poco por la oscuridad del
anochecer. Varias veces reuní fuerzas para levantarme y para
cruzar el pasillo camino del gabinete donde estaba el teléfono, pero siempre me paraba antes de llegar a él, y me decía,
a modo de coartada para retirarme, que sería mejor buscar
una cabina en la calle, o acercarme a la cafetería Yale, que
tenía teléfono público. A las horas en punto conectaba la radio a ver si daban noticias de detenciones en cadena. A las
once puse Radio París, de medianoche hasta las dos estuve escuchando entre pitidos agudos e interferencias como de bo-
rrasca la Radio Pirenaica, pero en ninguna de las dos dijeron
nada que fuese extraordinario, lo cual ya me dejó un poco
más tranquilo, aunque no demasiado, pues también era posible que la redada de la policía se estuviera llevando a cabo
con el máximo sigilo, para que nadie pudiera escapar.

Me desvelé oyendo la radio. Que Ramonazo tardara tanto
en volver podía ser un mal augurio. Apagué la luz, cerré los
ojos, creí que iba a dormirme, de lo cansado que estaba, del
peso tan grande que tenía en los párpados, en todo mi cuerpo, y entonces vi a la mujer de la bata de seda azul, que volvía a abrírsele como los cortinajes de un teatro, los altos muslos combados hacia adentro y la sombra espesa y nítidamente
triangular en la que confluían, la carne oscura bajo el vello,

el descaro de las tetas grandes y blancas a un paso de mis ojos, tan cerca de mis manos, los pezones rosados y el tenue azul de una vena trasluciéndose en la blancura bruñida de la piel. A consecuencia de tales rememoraciones me dormí después de las cinco, agregando una dosis de arrepentimiento y vergüenza sexual a la culpabilidad política que me laceraba. Cuando desperté, sobre las once, lo primero que hice fue mirar la cama de Ramonazo: continuaba intacta.

Era urgente actuar. Tenía que ponerme en contacto con Ataúlfo esa misma mañana. Por extremar las precauciones me alejé hasta la calle de San Bernardo en busca de un teléfono público. El de Ataúlfo comunicaba de manera incesante, y me puse tan nervioso y marqué tantas veces su número que acabé llamando a un teléfono equivocado y me llevé el susto de que una voz desconocida me dijera que allí no había ningún Ataúlfo, como si lo hubieran detenido a él y a toda su familia y no quisieran dejar rastros de su existencia, según se contaba que hacían los militares en Chile. «Tranquilidad», me dije en voz alta, «mantengamos la calma». Marqué de nuevo, con deliberada lentitud, el número de Ataúlfo, y esta vez la ficha cayó en el interior del mecanismo e inmediatamente después oí la voz de un niño.

—¿Don Ataúlfo Ramiro, por favor? —dije protocolariamente, dispuesto a no identificarme.

—No está —contestó el niño, pero yo oí que hablaba en voz baja con alguien, sin duda su madre, a la que pedía instrucciones—. Ha salido de viaje.

—¿Me puedes decir a dónde? —estaba claro: Ataúlfo había tenido que huir.

—Al extranjero —quien contestaba ahora, con menos voz de ira o de amargura que de fastidio, era la mujer de Ataúlfo—. No ha dicho cuándo volverá.

Me sentí solo: tal vez estaba abandonado y rodeado. Para darme una tregua compré un periódico y entré a leerlo en la cafetería La Mallorquina, de la Puerta del Sol. Sin darme cuenta había llegado caminando tan lejos. La Mallorquina era muy cara, pero yo tenía mucha hambre y me encontraba en posesión de una cantidad excepcional de dinero: las dos mil pesetas casi íntegras que me había dado Ataúlfo la última vez que nos vimos y la mitad de las ganancias de Ramonazo en la pista de coches, que ascendía a mil ochocientas. Subí al salón de arriba y me aposté junto a una ventana desde la que veía la esquina de la calle Mayor y un flanco de la Dirección General de Seguridad. En horas más eufóricas yo había imaginado los carros de combate disparando contra los balcones del siniestro edificio para someter a los torturadores de la Brigada Político Social, que acabarían en poco tiempo como sus secuaces portugueses de la PIDE. Entre humaredas y derrumbes los sociales saldrían a la Puerta del Sol agitando banderas blancas con las manos en alto.

Ahora lo que imaginé fue que a Ramonazo y a Ataúlfo podían tenerlos prisioneros en el sótano de la DGS. Por lo pronto, yo estaba a salvo, pero tan débil que me habían flaqueado las piernas al subir al piso de arriba de la pastelería. El miedo, la soledad, el nerviosismo, me aguzaban el hambre: pedí café con leche y tortitas con nata, una especialidad sabrosa en la que me había iniciado Ataúlfo, erudito en todos los bares, pastelerías, tabernas y clubs de Madrid. Estaba mojando un trozo de torta en el café con leche cuando un titular del periódico me quitó el apetito: el Gobierno había destituido al teniente general D**, que era, como se recordará, el jefe máximo de nuestro levantamiento, el Antonio de Spinola español al que le mandaban monóculos por correo.

«Tranquilidad», repetí, ahora en el espejo del lavabo de La Mallorquina. Volví a mi mesa, vigilé con máxima atención las inmediaciones de la DGS, donde no se observaban movimientos inusuales, doblé el periódico, en el que llevaba días sin consultar las ofertas de trabajo, acabé el café con leche, las tortitas con nata y un vaso de agua exquisita que sin yo pedírselo me había traído el camarero. «Tranquilidad y valor».

Pagué dejando una propina digna de Ataúlfo (la edad avanzada del camarero y el detalle del vaso de agua me habían llegado al alma) y subí eludiendo las calles más transitadas hasta la plaza de Santo Domingo, donde estaba el club *Azul*. Tenía la corazonada de que Ataúlfo podía haberse escondido allí: un refugio, dentro de todo, envidiable, aquel gabinete de los divanes azules y los espejos, y los vasos tallados del mueble bar donde tintinearían los cubitos al caer sobre ellos el whisky, vertido solícitamente por la mujer apenas envuelta en seda azul...

Estuve llamando un rato y no abrió nadie. Que me hubieran dejado solo era acaso el castigo por una indiscreción que estaba desencadenando una catástrofe. Volví a la pensión, por si había algún mensaje para mí, tan alterado que el olor a jamones y a chorizos del portal no me dio hambre, sino náuseas. Junto a la puerta de la calle había una furgoneta con el motor en marcha que despedía un humo negro. En la penumbra tenebrosa de la escalera me di de bruces contra una mujer que bajaba saltando de dos en dos los peldaños: me disculpé, di la luz del rellano y la reconocí por una foto que me había enseñado Ramón: era su novia maoísta, y de hecho había algo de oriental en ella, en la cara pequeña, de piel tensa y pómulos anchos, en la estatura breve y ágil. No llegué a identificar de dónde procedía aquel matiz de acento extranjero con el que pronunciaba las palabras. Ella también me reconoció, aunque no sé cómo, y se aferró a mí, sacudiéndome las solapas de la chaqueta con unas manos que me parecieron diminutas.

—Has de avisar a Ramón, de prisa, yo ya no tengo tiempo, dile que se vaya, que desaparezca, nos han desarticulado, dile que se cuide, agur.

Hablaba y se movía a tal velocidad que me di cuenta de que se había ido al mismo tiempo que oía arrancar el motor de la furgoneta que la esperaba en la calle. Ya no subí a la pensión. Me temblaban las piernas, y notaba en la vejiga el

mismo dolor agudo que cuando vi acercarse a los antidisturbios en la Complutense. Vivía de nuevo como en mis tempo-
radas de más soledad e indigencia, moviéndome como un so-
námbulo por la ciudad ilimitada, desconocida y hostil, sin saber
del todo si estaba despierto o dormido, si estaba soñando lo
que tenía delante de los ojos, a través del cristal ligeramente
escarchado de la alucinación, escarchado unas veces y otras
opaco por el vaho. En la plaza de España tomé el suburba-
no hasta el lejano barrio de Aluche y anduve errando entre
descampados y urbanizaciones a medio construir hasta que
distinguí en la distancia la rueda de una noria inmóvil y los ga-
llardetes que coronaban una carpa y pude encontrar al cabo
de una caminata extenuadora —la noria parecía estar siempre igual de lejos— la pista de coches de choque en la que
trabajaba Ramonazo. El tiempo había cambiado, y ahora hacía
mucho calor. Un individuo con el torso desnudo y los bíceps
hercúleos tatuados era la única presencia humana que pude
hallar en las inmediaciones. Estaba mojándose el pecho y la
cara con un chorro de agua que brotaba de una goma. Al preguntarle yo por Ramón dejó caer la goma al suelo y me miró
de arriba abajo tan pormenorizadamente como si me practi-
cara un registro.

—¿El gordo? —dijo por fin, secándose la cara—. Por cómo le vi que corría debe de estar llegando a Ciudad Real. Si
no anda listo lo ligan los picos y está ahora mismo de imaginaria en el talego. [2]

—¿Los qué?

—Los picos... —el forzudo puso cara de paciencia y de fastidio—. Los picoletos. Los gemelos. Blanco es, la gallina lo
pone...

¡La guardia civil había ido a buscar a Ramonazo, pero él
los había burlado! Pensé: «Es una caza del hombre en toda

---

[2] *lo ligan:* lo apresan; *los picos,* como se aclara luego, son los guardias civiles; estar *de imaginaria,* en el ejército, es vigilar durante la noche; el *talego* es la cárcel.

regla.» El general D**, destituido, seguramente desenmascarado; el jefe supremo de la guardia civil declarando que la Benemérita sabría estar a la altura de sus responsabilidades históricas, es decir, para quien quisiera entenderlo, que permanecería fiel al régimen franquista; Ataúlfo en paradero desconocido; Ramonazo huyendo, la célula maoísta de su amiga desarticulada, los civiles pisándole los talones: lo único sensato que a mí me quedaba por hacer era intentar la huida. Tenía dinero en el bolsillo: llevaba conmigo, por una precaución en la que mi madre no dejaba de insistirme, el carnet de identidad. Aún era pronto para que las estaciones de trenes y autobuses estuvieran vigiladas, así que lo más razonable sería irme a Atocha, comprar un billete para el primer tren que saliera en dirección a mi pueblo y quitarme de en medio una temporada, hasta que se tranquilizaran las cosas. Yo, después de todo, no era nadie: mi ausencia no podría afectar demasiado a la lucha antifranquista, que llevaba treinta y cinco años desarrollándose sin mí, aunque también, parecía, sin demasiado éxito. Perdido a las tres de la tarde en los campos amarillos y estériles de los alrededores de Madrid, la idea de volver aquel mismo día a mi pueblo, de cenar y dormir esa misma noche en la casa de mis padres, se me impuso con una fuerza indomable, como si despertara de pronto el pueblerino asustado que yo escondía bajo siete llaves dentro de mí, el conformista obediente, el sempiterno camastrón [3] que sólo albergaba ilusiones tangibles, como el noviazgo y el matrimonio, y no quería sacrificar su bienestar diario en nombre de la quimera del periodismo.

Pero algo me impidió ir directamente a Atocha obligándome a sobreponerme al miedo y a regresar a la pensión: no la lealtad hacia Ramonazo o Ataúlfo, no la delicadeza de despedirme del matrimonio asturiano que la regentaba, no el deseo

---

[3] *camastrón:* persona disimulada que, según le conviene, hace o deja de hacer las cosas.

de recobrar mis libros, mis apuntes, mi colección de *Triunfo*, las cartas y las fotografías de mi novia. Volví a la pensión porque era incapaz de marcharme sin llevar conmigo mi máquina de escribir, mi dulce compañera portátil, mi auxilio contra el aburrimiento y contra las tardes de domingo, mi *Tippa Adler* dócil y veloz como un perro de caza, el tesoro de mis ahorros, el mecanismo de los sueños de mi adolescencia. Armado de mi última reserva de coraje abrí la puerta de la habitación y Ramonazo estaba tendido en su cama, roncando, con un ejemplar de *Diez Minutos* abierto sobre la cara, a modo de parasol contra la luz excesiva de mayo. Decía de sí mismo, con razón, que era capaz de dormirse en lo alto de un pincho.

Le quité de la cara las páginas satinadas con fotografías de chicas en bikini, lo sacudí como a un fardo, como a un cocodrilo enterrado en lodo, lo llamé a voces, le dije que no había tiempo, que nos teníamos que marchar, que había venido a avisarle su novia para que huyera. Se sentó en la cama, echándome un aliento en el que quedaban residuos de una mala noche, bostezó y se pasó la mano por el mentón sin afeitar, haciendo un ruido de lija.

—Parece mentira —dio un bostezo más grande, como de hipopótamo—. Me echo un rato y tienes que despertarme.

—Se lo dijiste, ¿verdad? Me juraste que guardarías el secreto, pero tuviste que decírselo a tu amiga, y mira la que has organizado. ¿O también se lo dijiste a alguien más?

—Hombre, decirlo, decirlo, no. —Ramonazo se pasaba los dedos por la cara rasposa queriendo recordar—. Le conté algo anoche a un buen amigo, paisano nuestro, más que nada porque tuviera cuidado, estábamos tomando unas copas en un bar que tiene en Aluche y él empezó a quejarse de que Franco no se moría nunca y yo pensé, cojones, este amigo es de toda confianza, no tengo derecho a negarle una alegría, aunque a él tampoco le gusta la democracia burguesa, y me lo juró, oye, me lo juró por sus niños, que de su boca no salía una palabra...

—Pues mira lo que has organizado —mientras le hablaba acusadoramente a Ramonazo yo iba llenando de cualquier modo mi maleta—. Que tengamos que salir pitando. Que se hunda todo. Que vaya siguiéndote la guardia civil.

—Qué cabrones, seguro que los mandaba mi padre.

—Y una leche —me dirigía a Ramonazo con una sorprendente autoridad, le ayudaba a hacer su maleta, le guardaba cosas en los bolsillos de la americana—. ¿También ha sido tu padre el que ha disuelto esa célula prochina donde te lavaban el cerebro?

El teléfono nos enmudeció a los dos: estaba sonando lejos, en el gabinete, pero los dos sabíamos que la llamada tenía que ver con nosotros. Abrí la puerta de la habitación y la patrona venía por el pasillo a avisarme. Era Ataúlfo: su voz sonaba rara y lejana, pero no me dijo desde dónde llamaba, y yo no se lo pregunté. La verdad es que no sabía qué decirle. Estaba avergonzado, y también estaba muerto de miedo. Le dije, como haciendo méritos, que había entregado el mensaje. No pude contenerme y le confesé también que no había mantenido el secreto. Fue amable, como siempre, amable y un poco distante. Le advertí del peligro. Me contó que la policía había estado en el club *Azul*, y me aconsejó que desapareciera durante algún tiempo, que no hiciera nada, que esperase noticias suyas. Nunca las recibí. Es raro que no haya un instinto que le avise a uno de que está hablando con alguien por última vez. [25]

---

[25] La agitada imaginación del protagonista, sugestionada por la de Ataúlfo, le ha llevado a interpretar en clave revolucionaria y conspiradora las vivencias que se narran en estos dos capítulos, entrelazados con una serie de hechos casuales y lo que parece un embuste final de Ataúlfo. El capítulo que sigue tendrá, claramente, la función de un epílogo.

IX

En la radio del taxi, mientras íbamos hacia Chamartín, oímos la noticia de la desarticulación de un grupúsculo extre-
mista perteneciente al autodenominado Frente Revolucionario Antifascista y Patriótico, a cuyos miembros se les había
ocupado abundante material subversivo así como un alijo de
armas de fuego y explosivos. Vi cómo Ramonazo se iba poniendo pálido a medida que escuchaba, pálido y amarillento,
como si se mareara en el coche. En la estación, mientras él
esperaba oculto en los lavabos, y vomitaba de paso, le compré un billete para Barcelona. Se lo compré con mi dinero,
porque todo el suyo él lo había gastado en los últimos días,
parte en diversas celebraciones con sus amigos de Parla y de
Aluche, parte también, me confesó, en contribuir económicamente al sostenimiento de la célula recién desbaratada por la
policía. No conocía a nadie en Barcelona, y no tenía con qué
mantenerse hasta que encontrara trabajo, así que le di todo
mi dinero, quedándome sólo con doscientas pesetas para metro y bocadillos, y me fui a hacer auto-stop a la carretera de
Andalucía, donde no tardó ni dos horas en recogerme el conductor de una furgoneta DKW que resultó ser de un pueblo
al lado del mío.

A las once de la noche estaba llamando yo a la puerta de
mi casa, impaciente por ver la cara de sorpresa que pondría
mi madre. A esa misma hora, en un vagón de segunda, atestado y maloliente, Ramonazo estaría durmiendo con el mismo desahogo que si viajara en coche cama. Me acordé de lo
pálido que lo vi cuando nos despedimos, sin afeitar, con la cara hinchada, diciéndome adiós desde la ventanilla, asustado
tal vez no sólo por la policía, sino por la inminencia de llegar
a otra ciudad inmensa en la que tampoco conocía a nadie.

No volví a Madrid para los exámenes finales. Me quedé en

mi pueblo, esperando día tras día las noticias de la sublevación, queriendo imaginar que no había fracasado. Después de
una ardua lucha interior me decidí a confiar en mi novia, que
se alarmó al saber lo que se avecinaba y me juró mirándome
sin pestañear que guardaría el secreto. Tenía miedo por mí,
pero también por su padre, y yo creo que el cariño hacia él
la empujó a decirle algo: su padre, que me detestaba, y que
no tenía reparo en decirle a quien fuese que yo era el gran
error en la vida de su hija, suavizó durante unos días su actitud, e incluso me invitó un domingo a comer con la familia,
cosa que hasta entonces no había hecho jamás, y que no se
volvió a repetir en varios años.

De vez en cuando yo llamaba a casa de Ataúlfo, pero nunca era él quien cogía el teléfono, y yo colgaba sin decir nada
al escuchar a su mujer o a uno de sus hijos. Iba acercándose
el final de mayo y no sucedía nada. Las cosas ocurrían, como
de costumbre, en otra parte, en Portugal, donde progresaba
la revolución con vaivenes de turbulencia y entusiasmo, en Francia, donde era posible que la Unión de Izquierdas ganara las
elecciones, sitiando así irremediablemente a la dictadura de Franco. En un panfleto portugués que llegó a mis manos se veían
dos multitudes con banderas rojas que partían de París y Lisboa
y rebasaban las fronteras para confluir como una inundación
en España.

Que yo me hubiera vuelto de Madrid sin hacer siguiera los
exámenes finales acabó de convencer a mi padre de lo que él ya
sospechaba, que yo no valía para los estudios. Le dije, y también
se lo prometí a mi novia, más que nada para que le transmitie-
ra esa información a su padre, que me presentaría a todas las
asignaturas en septiembre, pero lo fui dejando, me dejé abatir
por los calores de julio y de agosto, que en mi pueblo son tre-
mendos, y en octubre me encontré sin nada que hacer, gandu-
leando con los amigos por la calle Nueva, contándole a alguno
de los más íntimos, después de exigirle promesa absoluta de
silencio, mis aventuras como luchador clandestino en Madrid.

Pasé así un par de años, apoltronado en la pereza, en la desidia de ir dejando para después el regreso a la universidad, ayudándole de vez en cuando a mi madre en la tienda. Miraba el fondo del plato cuando mi padre me llamaba inútil o gandul en la mesa, alzando su voz por encima del volumen del televisor mientras mis hermanos comían como si no escucharan nada, o sólo la televisión, o la lluvia. Todas las tardes, a las ocho, yo iba a esperar a mi novia, que había empezado a trabajar en la gestoría *Virgen de Guadalupe*, propiedad de su padre, así como la autoescuela del mismo nombre. Las tardes invernales de mucho frío o de lluvia las pasábamos en el cine, mirando apenas la película, aunque acabábamos sabiéndonos los diálogos de memoria, de tantas veces como los oíamos. Nos tapábamos con mi anorak o con su abrigo, porque en el cine no había calefacción, y nos quedábamos allí hasta un poco antes de las diez, que era la hora a la que ella volvía a su casa en invierno. En verano se quedaba conmigo hasta las once, hasta las doce los domingos. **(26)**

Estaba precisamente una mañana en casa de mi novia cuando salió el presidente Arias Navarro en la televisión y dijo que Franco había muerto.[1] Su madre y su hermana mayor se echaron a llorar. Yo estaba tan aburrido de que hubiera pasado tanto tiempo sin acabar de morirse que no sentí nada, ni alegría ni alivio, sólo una ligera extrañeza que fue creciendo a lo largo del día. En la televisión daban sin parar música clásica, y la gente hacía cola cabizbaja y lloraba o rezaba rosarios en la explanada del Palacio Real.

---

[1] La acción se sitúa, por tanto, el 20 de noviembre de 1975.

(26) En este último capítulo se resumen en pocas páginas los años de la vida del personaje hasta el presente, 19 ó 20 años después. Frente a la precisión en la localización espacial de su vida en Madrid, aquí no se nos dice el lugar en que vive.

Justo un año después, en noviembre de 1976, mi novia descubrió que estaba embarazada. Ahora eso puede parecer una tontería, pero entonces, y en mi pueblo, y en la familia de ella, aquel embarazo constituyó una tragedia, algo bufa, mirada a distancia, con aspavientos de teatro, pero una tragedia. Nos casamos rápidamente, en una ermita próxima a mi pueblo donde ella, al arrodillarse junto a mí en las losas desnudas, tiritaba de frío. Llevaba el pelo corto, un abrigo blanco con el cuello de visón y unas botas altas, blancas también, con un brillo de plástico. Estaba muy guapa, con esa vehemencia carnal que ya daba el embarazo a su figura y a su cara, pero yo creo que si la quise tanto esa tarde fue por la lástima secreta que sentía hacia los dos, sobre todo hacia ella, con sus rodillas desnudas y ateridas por el frío de las losas y aquel abrigo corto y blanco que le había prestado una amiga. Su padre me colocó de administrativo en la gestoría, no sin advertirme que no lo hacía por mí: «Lo hago por la tonta de mi hija, para que no la mates de hambre, y por el pobrecillo de mi nieto, que no tiene la culpa de nada». De la matanza de los abogados en el despacho laboralista de la calle Atocha ² me enteré cenando en casa de mis suegros, sentado junto a mi mujer, a la que le pasaba su madre un paño húmedo por la frente, porque le había dado un mareo al llegarle de la cocina un fuerte olor a pescado.

—Esto lo arreglaba yo en cuarenta y ocho horas —decía a voces mi suegro, y yo no estaba seguro de si se refería al desastre sangriento de aquellas semanas en España o al mareo de mi mujer.

El niño nació durante la ola de calor del verano de 1977, que un poco más y se lo lleva del mundo, deshidratado, con

² El 24 de enero de 1977 se produjo el terrible asesinato de cinco personas, en un despacho de abogados laboralistas de la calle Atocha, por dos individuos vinculados a la extrema derecha; otras cuatro personas resultaron gravemente heridas.

diarreas constantes, rojo de llanto y de sudor. Ahora lo miro
y pienso que no es el mismo, que ese adolescente callado y
algo lúgubre que no me mira a los ojos cuando le pregunto
algo no puede ser la misma criatura que se nos escurría a su
madre y a mí de los brazos en los desesperados insomnios de
aquel verano, en el piso recién construido que nos había regalado su padre al casarnos, donde el aire, incluso de noche,
ardía como el aire de un horno. No es posible, pienso al mirarlo, no puede haber pasado tanto tiempo, como si anoche
mismo me hubiera dormido de agotamiento a las cuatro, porque el niño no dejaba de llorar y de ensuciar pañales con una
diarrea líquida, y esta mañana, cuando me he levantado, tuviera ya dieciséis años.

Su hermano, que cumplirá doce en enero, es el reverso
exacto de la moneda: muy cariñoso con su madre y conmigo, magnífico en la escuela, animoso, obediente, sin ningún
complejo, aunque para su edad tiene un peso superior a la
media. A veces, inconfesablemente, me da un poco de pena
mirarlo, tan bueno y tan poco ágil, tan afectuoso con su hermano mayor, que antes le hacía rabiar con monotonía y pre-
meditación y que ahora, desde hace un par de años, ha dejado de verlo, igual que dejó de vernos a su madre y a mí.
Pero me pregunto si a su edad yo veía a mis padres: mi hijo
está mucho más cerca de quien yo era en los pocos meses que
pasé en Madrid que de quien soy ahora, un adulto opresivo
y lejano, un padre a punto de convertirse en cuarentón. Jamás
me ha visitado en la gestoría, y cuando su madre, su hermano y yo, dando un paseo, nos cruzamos con él y sus amigos
por la calle Nueva, cambia de acera y hace como que no nos
ha visto.

Casi todos los años, en Navidad o en Semana Santa, nos visita Ramón Tovar. Acabó instalándose en un pueblo de Valencia, y de viajante de una fábrica de zapatos pasó a capataz, y
luego, con la tenacidad invencible de los autodidactas, hizo
unos cursos de gestión y ascendió a director gerente, cargo que

ostenta ahora. Se casó con una mujer de allí, muy morena de
cara, ancha y fornida como él, con el pelo teñido de rubio, y
con ella y con sus hijos habla en una curiosa mezcla de va-
lenciano y de modismos antiguos y entonaciones de mi pueblo
que no ha llegado a perder, a pesar de los años y de un va-
lencianismo tan apasionado que a veces me resulta, no lo puedo ocultar, enfadoso, y que me hace pensar en su olvidado
maoísmo.

Vivo, por lo demás, una vida transparente, serena, en la
que no falta algún relativo privilegio ni ocurre casi nada fuera
de mi trabajo y de mi familia. Al morir mi padre cambiamos
de piso y mi madre vino a vivir con nosotros. En ocasiones
llega a ser un poco opresivo compartir la vida con dos mujeres que se precian, con razón, de conocerme más de lo que
me conozco yo mismo, y de que yo no sea capaz de ocultar-
les nada. Pero no tiene demasiado mérito: a casi nadie he sabido nunca esconderle lo que pensaba o lo que sentía, y ya
me parece que va siendo tarde para que empiece a aprender,
si bien, me digo en las horas bajas, podía tomar lecciones de
hermetismo de mi hijo mayor.

Un solo secreto poseí en mi vida, y lo malbaraté insensa-
tamente, como quien logra un tesoro y lo desperdicia y lo tira
y se encuentra luego con las manos vacías. Pero me doy cuenta de que ahora poseo otro, y como no era consciente de que
lo tenía no he podido traicionarlo. Nadie piensa ya en aquellos tiempos, nadie se acuerda del invierno y de la primavera
de 1974, ni de la ejecución de Puig Antich o del nombre del
húngaro o polaco al que le dieron garrote vil en Barcelona.
Yo sí me acuerdo de todo: ése es mi secreto. Nadie sabe que
aún continúo añorando lo que no sucedió nunca, la revolución franca y gozosa que no llegó a triunfar, el vértigo de rodear en medio de una multitud con puños alzados y banderas rojas a los carros de combate que no dispararon contra
los balcones de la Dirección General de Seguridad. No me
quejo de mi vida, pero me pregunto cómo habría sido la otra,

qué me habría ocurrido si hubiera continuado estudiando, si no hubiera cometido la atroz imprudencia, la indignidad de no cumplir mi palabra, de salir huyendo y refugiarme en mi pueblo a la primera señal de peligro. En el trabajo, en mi casa, tratan con indulgencia mis distracciones, se burlan de mi mala memoria, de que nunca me acuerdo de dónde acabo de dejar algo. No pueden saber que es en otra buena memoria disimulada tras la que ellos conocen, como en un doble fondo, donde está guardado mi secreto, las pocas cosas de entonces de las que no quiero ni puedo olvidarme, la alegría de estar recién llegado a Madrid, la euforia de beber vino blanco helado y comer langosta después de un día entero en ayunas, la ingravidez de una bajada en taxi por la calle de Alcalá, muy tarde, a las dos o las tres de la madrugada, cuando casi no había tráfico y aún estaba iluminada la fuente de Cibeles.

En esa época, en los setenta, sobre todo al principio, creíamos fervorosamente en la comunicación, imaginábamos que ni la amistad ni el amor eran posibles sin una transparencia absoluta, nos desesperaba la dificultad de transmitir lo que sentíamos. Ahora, algunas veces, yo agradezco exactamente lo contrario, el privilegio de la inviolabilidad, la maravilla del silencio, el derecho a acordarme sin que lo sepa nadie, sin que lo pueda sospechar nunca mi mujer, que duerme a mi lado, en la oscuridad de nuestro dormitorio, de aquella amiga o cómplice de Ataúlfo Ramiro a la que vi desnuda durante un segundo en Madrid, hace diecinueve años, cuando al adelantar la mano para abrirme una puerta se le desciñó la bata de seda azul delante de mis ojos y se echó a reír como si no le importara nada mi presencia. Iba a marcharme, pero la seguí mirando y ella no volvió a ceñirse la bata ni se movió del umbral, y yo olí no su perfume, sino su piel desnuda, noté que me ardía la cara y pensé que si le pedía que me dejara entrar de nuevo con ella no iba a negarse, pero tuve de pronto más miedo del que había tenido nunca, le dije hasta luego y

tardé un rato en oír, mientras bajaba las escaleras, el golpe
de la puerta al cerrarse, una de tantas puertas que se cierran
para no abrirse más en la vida de uno. (27)

(27) La memoria del protagonista guarda otro «secreto» que nadie recuerda, la añoranza de lo que no sucedió, que se completa con
una reflexión sobre la comunicación y la intimidad. Con el paso de
los años, ya casado y con hijos, distanciado de su manera de pensar
entonces, recuerda dos aspectos que para él fueron fundamentales: la
política y una mujer a la que vio fugazmente desnuda. A lo largo de
la novela se ha insistido en la similar mezcla de excitación, miedo y
timidez que al protagonista le producen las aventuras políticas y las
sexuales. Ahora comprendemos que ese secreto alienta en medio de
la monotonía y la grisura (política y erótica) de su vida presente.

Documentos y juicios críticos

1. *En el prólogo a la edición portuguesa de* El dueño del secreto, *Antonio Muñoz Molina señala elementos fundamentales para la interpretación de la obra.*

UNA CARTA PARA LOS LECTORES PORTUGUESES

A veces hace falta escribir para darse cuenta de cómo le importan a uno ciertas cosas en la vida. Si yo no hubiera escrito este libro no sabría ahora, o no recordaría, cuánto me importó hace más de veinte años la noticia de la revolución de abril, y de qué modo las ideas más sentimentales de mi adolescencia sobre la libertad perduran en mí asociadas ya para siempre a Portugal, a las fotografías de carros de combate rodeados por multitudes fervorosas, de soldados jóvenes con los puños alzados y claveles en las bocas de sus fusiles.

Desde el 25 de abril de 1974 una parte de nuestra vida la vivíamos muchos españoles imaginariamente y a distancia, y mientras el régimen franquista perduraba en una inmovilidad mineral nosotros ya vivíamos las peripecias, los sobresaltos, los entusiasmos diarios de una revolución más pacífica y más hermosa no sólo que las revoluciones de la Historia, sino también que las de los sueños. En septiembre de 1973 Santiago de Chile había sido nuestra capital del dolor: en abril del l 74 Lisboa se convirtió en la capital de nuestra alegría.

Pero en nada de eso pensaba yo cuando me puse a escribir «El dueño del secreto». Ni siquiera se trataba de una de esas historias que uno se siente impulsado a escribir como por una fuerza ajena a su voluntad, por una especia de necesidad misteriosa. Me habían encargado un relato de unas cincuenta páginas, extensión que me atraía mucho, porque no la había cultivado nunca. Llevaba escrita más de la mitad de una historia parcialmente fantástica que me había gustado mucho inventar cuando me atreví a reconocer ante mí mismo que me estaba gustando mucho menos escribirla. A nadie le es fácil aceptar que ha trabajado en vano durante un cierto tiempo. A mí se me acercaba peligrosamente la fecha de entrega de aquel relato, y justo cuando ya lo creía dominado me daba cuenta de que en realidad no me apetecía nada seguir escribiéndolo. Es probable, sin embargo, que de haberme empeñado lo hubiera concluido, incluso con cierta dignidad. Para algo tiene que servirle a uno el oficio. Pero entonces, porque tenía muy mala conciencia, se me ocurrió tantear un argumento que era sobre todo un recuerdo, el de un hombre estrafalario y admirable a quien yo había conocido en Madrid en 1974, y que me había hecho creer, entre otros embustes de su imaginación alucinada y generosa, que estaba implicado en una conspiración para derribar a Franco.

Escribí unas primeras líneas, sin inventar nada, sin saber hacia dónde dirigirme. Y el acto de escribir, como me ocurre con frecuencia, me disparó los mecanismos de la memoria: me acordé, mientras escribía, de la tarde de abril de 1974 en que recibí la noticia de la revolución portuguesa, y justo en ese momento se produjo, creo, la cristalización de imágenes y recuerdos de la que surgió *El dueño del secreto*, la mezcla de confesión personal, autobiografía ficticia y tristeza política que luego se fueron desarrollando a lo largo de la historia. Para su protagonista, el 25 de abril es una fiesta ausente, una fecha de ilusiones futuras que nunca llegó a suceder en los calendarios españoles. Nosotros, los demócratas de mi generación, los que en aquellos años mezclábamos los sueños sentimentales de la adolescencia con imaginaciones temerarias de revolución social, no tenemos ningún 25 de abril del que acordarnos, porque sería demasiado siniestro conmemorar el día en que murió un dictador al que nadie había echado del poder. No tuvimos himnos ni heroísmos, ni despertares de alegría, ni manifestaciones gozosas en las plazas públicas: pero todas esas cosas las vivimos vicariamente a través de los acontecimientos portugueses, y ya no queríamos viajar a Cuba, ni a París ni a Moscú, sino aquí al lado, a Lisboa, a una ciudad de la que hasta entonces no habíamos sabido nada, a un país que para nosotros había sido invisible.

Todo eso irrumpió de golpe en esa historia que yo empezaba a tantear sin demasiada convicción, y gracias a ese yacimiento de ilusiones olvidadas lo que empezó siendo un relato se convirtió para mí en una novela, en una declaración emocional sobre la vida de mi país y de mi generación en una cierta época. Por entonces, los españoles de izquierdas viajaban a Lisboa en peregrinación revolucionaria, a participar en las manifestaciones del primero de mayo, a ondear banderas rojas y comprar libros y carteles prohibidos en España. Yo no tenía dinero para emprender ese viaje, así que llegué a Lisboa muchos años después, buscando los lugares donde iba a transcurrir el final de una novela. Pero es ahora, al publicar en Portugal este libro, cuando tengo la sensación de que restituyo en parte mi deuda de ilusión con aquellos tiempos, con el entusiasmo y la melancolía del 25 de abril, de su porvenir y sus conmemoraciones. Me gustaría que el lector portugués encontrara en algunos pasajes de *El dueño del secreto* un testimonio de gratitud, incluso de fraternidad. El más lírico de todos nuestros sueños de entonces fue sin duda el de la revolución de los claveles: también el más perdurable, a pesar de los años y del olvido.

Texto original castellano del prólogo a la edición portuguesa de *El dueño del secreto* (1995).

2. *En la siguiente entrevista con Emilio Garrido para la revista* Tribuna, *Muñoz Molina recuerda algunas circunstancias biográficas relacionadas con la novela.*

—*¿Escribe de su pasado por nostalgia?*
—La nostalgia, un sentimiento al que soy inmune, tiende a embellecer el recuerdo y lo que yo intento es contar cómo eran de verdad las cosas. No tengo nostalgia de Franco, ni de los grises, ni de pasar penurias, ni de dormir en una pensión.
—*El libro arranca con una cita de Francisco Ayala que viene a decir que la dictadura extrajo las mejores cosas de unos pocos y las peores de la mayoría. ¿En qué grupo estuvo usted?*
—Hubo pocos héroes. Participé en la manifestación en la que también intervino el personaje del libro, con la diferencia de que a

mí me detuvieron y a él no. En la celda me di cuenta de forma inmediata de que yo no tenía madera de héroe. Al salir de la Dirección General de Seguridad sentí que el franquismo podía durar
un siglo si quería, que yo personalmente no iba a hacer nada para
que no fuera así porque me daba mucho miedo. Sentí que era un
cobarde.

—*¿Se avergonzaba de esa cobardía?*

—Sobre todo cuando veía que gente que había pasado años en
las cárceles y había sido torturada se mantenía imperturbable,
mientras que yo, con dos tortas que me dieron, perdí toda la com-
batividad.

—*¿Se siente culpable por no haber derrocado a Franco?*

—Me sentía culpable por no ser capaz de ir a las manifestaciones
porque me moría de miedo. Me quedaba en casa, profundamente
dividido entre mi sentimiento personal de miedo y la conciencia de
que no estaba haciendo lo que mis ideas me exigían.

—*Ya que no pudo acabar con el dictador, ¿consiguió, al menos, acostarse con
muchas mujeres, como pretendía al llegar a Madrid?*

—Ni yo ni nadie. Eso de que era fácil irse a la cama con alguien
era un mito de entonces.

—*¿Qué le parece que haya gente que lamente no haber podido vivir, por edad,
aquellos años de lucha antifranquista?*

—Los universitarios éramos entonces tan tontos como lo son ahora. Lo que pasa es que la nostalgia de la generación que ahora está en el poder es la más mentirosa de todas y lleva a los socialistas
a adornarse con un pasado heroico falso, porque en aquella época
no había socialistas en la Universidad. La nostalgia de los comunistas es tan embustera como la otra porque hace imaginar que hubo
más inteligencia y heroísmo del que hubo en realidad. El personaje de *El dueño del secreto* y su maestro Ataúlfo eran unos insensatos,
pero no lo eran más de lo que lo fueron Santiago Carrillo y todos
aquellos que elucubraron sobre la caída del franquismo y se equi-
vocaron.

—*¿Habría sido mejor que se hubieran quedado de brazos cruzados?*

—Yo no estoy negando la validez de la lucha antifranquista, lo
que digo es que hubo más entusiasmo y heroísmo que inteligencia.
Se pecó mucho de dogmatismo en la izquierda de entonces.

—*¿No sirvió para nada el sacrificio que hizo tanta gente?*

—Nunca se sabe lo que sirve y lo que no, pero no creo que un acto de decencia sea inútil y es muy destacable la generosidad y tenacidad de la gente que sacrificó su vida para luchar contra el franquismo. Si no hubiera gente que se empeñara en hacer bien las cosas, el mundo sería un infierno.

—*Francisco Umbral ha criticado la docilidad de intelectuales y escritores. ¿Es tan difícil como antes enfrentarse al poder?*

—No creo que el intelectual esté ahora más callado que antes. Lo que pasa es que hay gente que se quiere retratar a sí misma como un héroe exclusivo. Tampoco creo que haya nadie, y menos Francisco Umbral, que tenga derecho a convertirse en juez de los demás.

—*¿No está echando de menos las opiniones de intelectuales sobre la huelga general?*

—Hay un divorcio creciente entre las fuerzas políticas y sindicales y la gente normal. En la huelga de 1988 hubo una mayor movilización que ahora porque había una relación más estrecha entre la sociedad y los sindicatos.

—*¿Cómo se siente al saber que nadie va a comprar su libro, que lo van a regalar en FNAC por adquirir otras obras?*

—Me parece estupendo. Indecente sería hacer un mal libro. La FNAC lo que quiere es vender libros porque las librerías se dedican a vender libros, que es algo muy noble. Es mejor eso que vender basura en la televisión. Hay mucho elitismo con esto de la literatura. Se dice, por ejemplo, que el Premio Planeta se compra y no se lee, pero ¿sabe alguien de verdad que eso es así? También dicen los de las televisiones que se hacen programas malos porque la gente es muy bruta, cuando ellos son los más brutos de todos.

—*¿Con qué obra preferiría que formara lote* El dueño del secreto?

—Me da igual. Cualquier libro que sea comprado por alguien ya tiene mérito suficiente. Es obvio que prefiero que mi libro no lo regalen con el *Mein Kampf,* de Hitler, o con *Al tercer año, resucitó,* de Vizcaíno Casas. Es posible que haya quien lea el libro que le han regalado y no el que ha comprado.

Entrevista a Antonio Muñoz Molina sobre *El dueño del secreto* (*Tribuna,* 17 de enero de 1994, pp. 92-93).

3.   *En* Ardor guerrero, *el volumen de memorias en el que Muñoz Molina cuenta sus experiencias en el servicio militar, recuerda su detención en la Dirección General de Seguridad en 1974. Mientras cumplía sus obligaciones militares en un cuartel de San Sebastián, en 1980, descubrió casualmente un informe secreto encima de la mesa del capitán de su compañía.*

Era un escrito oficial, atravesado diagonalmente por un sello en tinta roja que daba sobre todo, o al menos eso pienso ahora, una impresión de melodramatismo y de novelería: alto secreto.

Era un informe dirigido al capitán sobre un soldado que acababa de incorporarse a la compañía: con estupor primero, con un miedo súbito, recobrando de golpe el sentimiento de vulnerabilidad que me había angustiado cuando era un recluta, leí mi nombre en el informe. Desde la capitanía general de Burgos le comunicaban al capitán que yo había sido detenido por la policía en 1974, produciéndose en manifestación no pacífica, según los términos de aquella prosa entre confidencial y administrativa. Elemento potencialmente peligroso, continuaba el informe, se ruega discreta vigilancia durante seis meses. Encima de la fecha estaba escrita la misma fórmula que yo repetía diariamente en los oficios que Salcedo y Matías me dictaban: Dios guarde a Ud. muchos años.

Quiero acordarme de la textura peculiar del miedo, de su cualidad del todo física, a la vez una punzada como de vértigo o de náusea y un peso sobre la respiración, una suma instantánea de todas las formas del miedo a la autoridad que uno había conocido en su vida, en su infancia escolar y franquista, el estremecimiento en la nuca una décima de segundo antes de que un cura me golpeara en ella con los nudillos secos y cerrados como un garfio, el sobresalto de oír pasos y cerrojos viniendo por el corredor de un sótano de la Dirección General de Seguridad, el terror ante la posible irrupción nocturna de la policía en un piso que compartí con militantes comunistas en el siniestro invierno entre 1976 y 1977, cuando había empezado a llegar la libertad sin que se retirase todavía la dictadura y vivíamos en una confusión turbia y asustada, en oscilaciones de alegría en el fondo cobarde y aluviones de pavor, de oscuridad y de sangre.

De nuevo habitaba yo en aquella clase especialmente afilada del miedo, lo respiraba como un aire muy enrarecido, el aire rancio de las dependencias militares que la Constitución de 1978 ni siquiera había empezado a ventilar, igual que nadie había cambiado aún los escudos en las banderas, que seguían luciendo el águila negra del franquismo, ni descolgado los retratos de Franco ni los carteles con su testamento, ni modificado la leyenda escrita con letras doradas en el monolito, Caídos por Dios y por España en la Cruzada de Liberación Nacional.

Faltaban unos días para que empezara la década de los ochenta, tan trepidante y celebrada luego, pero en alguna oficina militar de Burgos con muebles viejos de madera, tampones de almohadilla y retratos sepia del general Franco alguien había recibido y enviado luego una información secreta que concernía a un estudiante detenido en marzo de 1974 en la Ciudad Universitaria y encerrado durante algo más de cuarenta y ocho horas en una celda de DGS. Pero la militancia antifranquista que seis años después me deparaba aquella notoriedad confidencial en el ejército había durado aproximadamente unos veinte minutos, los que transcurrieron entre el comienzo de la primera manifestación ilegal en la que participaba en mi vida y el momento en que fui tundido a golpes y amontonado junto a otros estudiantes en el interior de un autocar gris que tenía las ventanillas cubiertas por una celosía de alambre.

Me tomaron las huellas digitales, me hicieron fotos de perfil y de frente en un sótano con azulejos, me quitaron los cordones de los zapatos, el cinturón y el reloj antes de encerrarme en una celda casi a oscuras, hasta la que llegaban, por una tronera enrejada, los gritos de los vendedores de lotería y los pasos de las mujeres que taconeaban en la acera de la Puerta del Sol. Me interrogaron con más desgana que sadismo policías con gafas oscuras y trajes marrón claro, me soltaron dos días más tarde tan sin preámbulo como me habían detenido, después de inocularme un pavor que me duró más que la dictadura, y que me inhabilitó para conspirar seriamente contra ella; la primera manifestación ilegal a la que asistí fue también la última, y mis raptos más febriles de antifranquismo se ciñeron desde entonces al ámbito inocuo y no muy arriesgado de la imaginación, de las conversaciones con amigos y de las asambleas tumultuosas y disparatadas de la facultad: que el servicio secreto del ejército, a finales de 1979, me considerara un elemento

potencialmente peligroso no sé si atestiguaba su aterradora om-
nisciencia o su desatada estupidez.

Antonio Muñoz Molina, *Ardor guerrero*, Madrid, Alfaguara,
1995, pp. 185-189.

4. *En* Beatus Ille, *la primera novela de Muñoz Molina, encontramos otra versión de los hechos mencionados en los documentos 2 y 3, y de algunas circunstancias referidas en* El dueño del secreto.
    *Minaya, el protagonista de la novela, recuerda su estancia en Madrid, cuan-
do era estudiante de Periodismo, antes de volver a su ciudad natal, Mágina, un
lugar imaginario en Andalucía.*

Minaya estaba solo y como aletargado en una esquina del bar de
la Facultad, lejos de todo, rozando con la punta del cigarrillo el bor-
de de una taza vacía y aplazando en silencio el momento de salir a
la avenida invernal donde montaban guardia los duros jinetes grises,
y aún no se había acordado de Jacinto Solana ni de la posibilidad
de usar su nombre para salvarse de la persecución, sólo pensaba, recién salido de los calabozos de la Puerta del Sol, en interrogatorios
y sirenas de furgonetas policiales y en el cuerpo que había yacido como en el fondo de un pozo sobre el cemento o los adoquines de un
patio de la Dirección General de Seguridad. Veía en torno suyo rostros desconocidos que se agrupaban en la barra y en las mesas cer-
canas con sus carpetas de apuntes y sus abrigos que parecían de-
fenderlos con igual eficacia del invierno y de la sospecha del miedo,
seguros, en el aire caliente y en la bruma del tabaco y las voces, firmes en sus nombres, en su elegido futuro, ignorando la sorda presencia entre ellos de los emisarios de la tiranía tan irrevocablemen-
te como ignoraban, hijos del olvido, que los pinares y los edificios de
ladrillo rojo por donde transitaban fueron hace treinta años el des-
campado de una guerra. Estaba solo para siempre y definitivamente muerto, le contó luego a Inés, desde el día en que lo atraparon
los guardias y lo hicieron subir a golpes y patadas de botas negras
en un furgón con rejillas metálicas, desde que salió de los calabozos
con el cinturón en el bolsillo y los cordones de los zapatos en la mano, porque se los habían quitado cuando lo llevaron a la celda y sólo

se los devolvieron unos minutos antes de soltarlo, tal vez para pre-venir lúgubremente que no se ahorcara con ellos. Pero dijeron que el otro se había suicidado, que aprovechó un descuido de los guar-dias que lo interrogaban para arrojarse al patio y morir con las ma-nos esposadas. Él, Minaya, había sobrevivido, a los golpes, a la espe-ra atroz de que lo llamaran para un nuevo interrogatorio, pero aún después de salir el sonido más leve crecía hasta convertirse en los sue-ños de un estrépito de cerrojos y portones metálicos, y las sábanas de su cama eran cada noche tan ásperas como las mantas que le dieron al entrar en la celda, y su cuerpo guardaba el hedor que lo recibió en los sótanos, tras la última reja, cuando le quitaron el reloj, el cin-turón, las cerillas, los cordones de los zapatos, y le entregaron aque-llas dos mantas grises que olían a sudor de caballo.

Pero más hondo que el miedo a los pasos en el corredor y a las bofetadas de metódica ira, de aquellos cinco días le quedó a Minaya una ingrata sensación de impotencia y desarmada soledad que des-mentía toda certeza y negaba para siempre el derecho a la reden-ción, a la rebeldía o al orgullo. Cómo redimirse del frío que al ama-necer penetraba bajo las mantas donde escondía la cabeza para no ver la perpetua luz amarilla colgada entre el corredor y la mirilla de la celda, en nombre de qué o de quién inventar una justificación para el olor de los cuerpos encerrados y de las colillas, dónde hallar un asidero que lo mantuviese firme cuando ignoraba si era de día o de noche y apoyaba la nuca en la pared esperando a que entrara un guardia y dijera su nombre. Fue en la segunda noche cuando con-cibió el propósito de regresar a Mágina. El frío lo despertó, y re-cordó que había soñado con su padre calzándose las botas en el dor-mitorio rojo y mirándolo con una pálida sonrisa de muerto. Le dijo a Inés que en el sueño había una luz rosa y helada y una sensación de distancia o de inadmisible ternura que era también la claridad de mayo entrando para despertarlo por un balcón de su infancia donde anidaban las golondrinas o detenida a media tarde sobre una plaza con acacias. Inútilmente cerró los ojos y quiso reanudar el sueño o recobrarlo entero sin gastar su delicia, su tono exacto de color, pero aún después de perderlo el nombre de Mágina sobrevivió en él como una iluminación de su memoria, como si le bastara pronun-ciarlo para derribar murallas de olvido y tener ante sí la ciudad intac-ta, ofrecida y distante sobre su colina azul, cada vez más precisa en

su cualidad de invitación y en su lejanía inviolable a medida que todas las calles y rostros y habitaciones de Madrid se convertían para
Minaya en trampas de una persecución que no terminó cuando lo
soltaron, que seguía agazapada tras él, en torno suyo, cuando apu-
raba una taza de café en el bar de la facultad y veía, al otro lado de
los ventanales, entre los pinos de un verde oscuro lavado por la lluvia, a los jinetes grises, descabalgados ahora, serenos, con las viseras
de los cascos alzadas, como caballeros fatigados que sin despojarse de
las armaduras dejan pastar a sus corceles en la hierba húmeda de ro-
cío, junto a los jeeps que aguardan.

> Antonio Muñoz Molina, *Beatus Ille*, Barcelona, Seix Barral,
> 1986, pp. 16-18.

5. *En «Noticia de una tentativa», un artículo periodístico de 1986, Muñoz
    Molina muestra algunos puntos de vista que reaparecerán en su obra posterior.
    A esas alturas solo había publicado* El Robinson urbano *y* Beatus Ille, *y
    preparaba* Diario del Nautilus.

Sólo en las novelas y en los cines oscuros de la memoria está contenido el mundo: su sola forma material constituye el ámbito de una
voluntad de mitología, es decir, de conocimiento, que se parece al
miedo con que oíamos de niños las historias de aparecidos y a la
exaltación que también entonces se apoderaba de nosotros cuando
en la medianoche de verano nos traía el tenue viento el bramido de
un mar que resplandecía en ese instante sobre la pantalla de un cine. Enumero una triple y única fascinación: la de los relatos orales,
la de los cines, la de aquellos libros que eran objetos dotados de peso y volumen y de un aroma que no parecía proceder de la materia
que los constituía sino de los misteriosos grabados y signos custodia-
dos en ellos.

En la noche, en la lenta oscuridad, también uno imaginaba películas, murmuraba historias, en voz muy baja, con una temprana
conciencia de clandestinidad, para que los mayores, que dormían, no
pudieran espiarlo. Aun de día, a la luz ya incrédula de la realidad,
imaginaba para sí mismo otra vida y se atribuía otros nombres que
callaba siempre. Alguna vez recabó cómplices, y obtuvo entonces el

privilegio, o la impostura, de ser él quien contaba la historia y de escuchar su propia voz como había oído las oscuras voces adultas que
le contaron antes de la fábula del castillo de irás y no volverás. Pero
muy pronto fue preferible el silencio de las palabras escritas, el metal de esas voces que guardaban sus dones únicamente para su pu-
pila, para su sigiloso oído de cazador en los libros.

Tempranamente advirtió que aquellas voces cancelaban el tiempo: apartaba el libro, alzaba los ojos hacia el gran reloj de la sala y
descubría que varias veces habían sonado las horas sin que él las es-
cuchase. Como la máquina del tiempo, los libros guardaban el secreto de un viaje definitivo e inmóvil, del que se regresaba con una
sensación de somnolencia y fatiga muy semejante a la de quien per-
manece quieto en su butaca, mirando aún la pantalla vacía, cuando
ya se han encendido las luces del cine.

No concibo otra razón para escribir. Casi nada que me importe
está fuera de las novelas y los cines. Cerrado y cálido, sombrío, el
mundo se contiene en ellos como en una habitación prohibida cuya
penumbra indagamos por la cerradura, tenso el aliento contra la madera de la puerta. No concibo otro motivo de orgullo que el de lograr alguna vez un libro en el que alguien se interne como en los cines desiertos, como en las hondas casas vacías de su memoria.

> A. Muñoz Molina, «Noticia de una tentativa», *El País*,
> 29 de mayo de 1986. (Tengo que hacer constar aquí mi
> agradecimiento al diario *El País*, cuyo Servicio de Docu-
> mentación me permitió consultar este y otros textos de
> Muñoz Molina que no han sido recogidos en sus recopila-
> ciones de artículos).

.   *La realidad de la ficción recoge cuatro conferencias pronunciadas por Antonio
Muñoz Molina en la Fundación Juan March de Madrid en enero de 1991. Este
libro, que desgraciadamente apareció con múltiples erratas, es una de las muestras
de la constante reflexión del autor sobre la literatura. Las páginas aquí reproduci-
das corresponden al comienzo de la primera conferencia.*

Hasta hace no mucho tiempo, las reflexiones o las divagaciones
que a lo largo de cuatro días voy a formular ante ustedes no se me

habían pasado por la imaginación. Durante las tres cuartas partes de
mi vida, leer, contar, escuchar y escribir han sido en mí pasiones tan
poderosas que casi nunca me detuve a pensar en ellas. Cuando me
preguntan en qué momento empecé a escribir o decidí ser escritor no
sé encontrar una fecha ni recuerdo siquiera las trazas de una voluntad consciente. No creo, por lo demás, que nadie resuelva hacerse escritor, del mismo modo que según Truffaut ningún niño quiere ser de
mayor crítico de cine. Cuando interviene la voluntad es porque ya
existía una disposición interior que nos ha empujado hacia ella. Si no
hubiéramos oído hablar del amor, dice La Rochefoucauld, seguramente no nos enamoraríamos. Si no supiéramos que existen los libros y que
hay hombres extravagantes que se dedican a escribirlos puede que no
se nos ocurriera ser escritores, pero es seguro que esa ignorancia no
sería un obstáculo para que cultiváramos el gusto por la ficción. La
mayor parte de las personas no leen ni escriben, pero salvo unos pocos imbéciles definitivos casi nadie carece del instinto de saber y de las
ganas de contar. Y no es casualidad que la época de nuestra vida en
que esas dos aficiones alientan más poderosamente en nosotros sea la
primera infancia, cuando los libros aún no han tenido tiempo de to-
carnos, pero cuando tenemos una necesidad más apremiante de ex-
plicarnos o de que nos expliquen el mundo. Hace unas semanas,
mientras le daba vueltas al orden de estas divagaciones, estaba contándole un cuento a mi hijo mayor y de pronto me quedé mirando la
expresión de sus ojos, y me asombró la atención con que esperaba mis
palabras, la ausencia, en sus pupilas, de todo lo que no fuera el mundo invisible del que yo estaba hablándole. Comprendí, con emoción y
un poco de alarma, que en esa mirada estaba la clave no sólo de lo
que yo quiero contarles a ustedes, sino de una parte de mi vida y de
mi propio destino, así como de esa legión oculta de lectores, de in-
ventores y de oyentes de historias que justifican el trabajo de escritor
y le dan esa dimensión enigmática a la que el tiempo, afortunadamente, aún no me ha acostumbrado: como ese niño, como cualquier
lector pasional, yo me eduqué oyendo contar historias a mis mayores,
y amé y amo tanto ese oficio y me bastaba de tal modo que nunca
tuve tiempo ni ganas de reflexionar sobre él: quería tan sólo que me
contaran buenas historias, quería contarlas yo mismo. Como el novelista apócrifo Jacinto Solana, yo me decía que no me importa que una
historia sea verdad o mentira, sino que uno sepa contarla.

Pero hubo un momento, no muy antiguo en mi vida, en que me di cuenta de que en esa pasión podía encontrarse un veneno y empecé a recelar parcialmente de ella. Había amado y exaltado siempre la imaginación, pero de pronto no estuve seguro de que mi incondicionalidad fuera del todo legítima. Como un enamorado que empieza a intuir el desengaño, advertía algo de tóxico en mi obsesión. Había leído y escrito los libros, escuchado y contado e imaginado las historias, como si ellas bastaran, como si su sola existencia fuera beneficiosa, pero empecé a advertir sus efectos secundarios, y a sospechar que no siempre me habían hecho bien. Algo parecido me ocurría con las canciones. Si estaba triste, me encerraba en una habitación con Frank Sinatra, con Schubert o con Billie Holiday igual que quien se encierra con una botella y obtenía borracheras tremendas de tristeza. Hubo una tarde en que me quité de Billie Holiday como un bronquítico abandona el tabaco, sintiendo que me hacía mal, que esa belleza y esa amargura eran en cierto modo dañinas. Y después de haber amado tanto los libros y de haberlos preferido en secreto a la vida empecé a preguntarme por qué algunos pueden ahondar en la tristeza y por qué otros nos sientan como un reconstituyente, por qué algunas veces la imaginación puede ser tan peligrosa como una droga. Y fue a partir de entonces cuando hice o intenté hacer, de manera desordenada y más bien instintiva, una especie de examen de conciencia, un análisis de la vinculación no sólo entre mi vida y la literatura, sino entre la realidad y la ficción: en qué medida y por qué lo real puede importarnos menos que lo imaginado, por qué caminos una rigurosa invención se vuelve verdadera, qué hay en el interior de una experiencia vulgar que la convierte de pronto en el punto de partida para una narración memorable. Ya no me conformaba con leer o escribir, escuchar o contar: quería saber por qué razón alguien se queda mirando fijamente una pantalla o una página o los labios de un narrador y cancela durante horas o minutos el espacio y el tiempo exteriores y ve con más claridad a un personaje inexistente que a un hombre real. Más breve aún: qué parte de ficción hay en la realidad, qué parte de realidad hay en la ficción.

No se trata de una sofisticada preocupación literaria, sino de un estupor tan compartido que se trasluce en el habla común. Cuando ocurre algo inesperado o sorprendente decimos que nos parece mentira.

Oímos hablar de un amor de novela, de una casa de película, de personajes de la literatura o del cine que parecen reales. Algunas veces alguien nos dice: «Si yo contara mi vida sería una novela». Y hay que subrayar que quien lo dice casi siempre es alguien que jamás ha leído una novela. Llevada hasta el extremo, esa confusión de la vida y de la literatura, termina en la locura: a don Quijote todas las cosas le parecen prodigios de una novela de caballería. Pero gente tan razonable como don Hernán Cortés o Bernal Díaz del Castillo tienen a veces la necesidad de apelar a la ficción para explicarse la realidad que están viendo sus ojos, y cuando ven las inconcebibles maravillas del México azteca continuamente piensan en los países delirantes de *Amadís de Gaula*. Y es que, contra lo que suele pensarse, no hace falta leer libros para tener una imaginación literaria: las lectoras de fotonovelas y de revistas del corazón, los devotos de José Luis Perales o de Julio Iglesias, los espectadores de esos folletines que tanto éxito tienen ahora en la televisión jamás leerán novelones del siglo XIX, pero sin saberlo se están contaminando de la misma basura sentimental que según Flaubert entonteció a Madame Bovary y según Galdós a la Isidora Rufete de *La desheredada*. Si uno se para a pensarlo, una parte muy considerable de las novelas trata de la influencia de las novelas en la vida de sus lectores.

Algunos de ellos, cuando se encuentran ante un escritor, lo primero que hacen es preguntarle qué parte de verdad hay en sus libros, en qué se parece el novelista a los héroes de sus novelas, de dónde procede cierta historia que se relata en alguna de ellas. En esa pregunta hay una parte de fascinación y otra de recelo: si lo que se ha contado en la novela tiene algo de verdad, quien lo ha escrito adquiere, paradójicamente, una dimensión imaginaria; si el libro y el autor no tienen nada que ver, el libro tal vez sea una pura mentira y quien lo ha escrito un impostor. Hace años, un tío mío, hombre práctico y triunfante en los negocios, me pedía que le recomendara libros para sus hijos, pero me hacía siempre la misma advertencia: que no sean novelas, porque yo quiero que aprendan cosas de verdad. Curiosamente, estas personas que desconfían tanto de las historias imaginarias son las más proclives a embobarse con las formas más degradadas de la ficción, y por no haberse creído las aventuras de don Quijote y del Capitán Nemo acaban tragándose no sólo los disparates de Rambo, sino los de los locutores de la televisión. Tal vez el motivo de esta extrema vulnerabilidad sea que la mejor literatura, a diferencia del folletín y del pastiche, no sólo nos enseña a mirar con ojos más atentos hacia la realidad, sino también hacia la propia ficción. Cuando uno escribía versos en su adolescencia y se negaba a leer para no ser influido, lo que ocurría fatalmente era que sólo recibía influencias perniciosas: la buena literatura está en unos pocos libros, y el mejor cine en algunas docenas de películas, pero la literatura mala, la tergiversadora, la adormecedora de la conciencia, de la mirada y de la reflexión, está en todas partes, en nuestra manera cotidiana de hablar, en los periódicos, en el aire que respiramos, incluso en el modo con que percibimos nuestros propios sentimientos.

Antonio Muñoz Molina, *La realidad de la ficción*, Sevilla,
Renacimiento, 1992, pp. 11-16.

7. *En el siguiente análisis, que figura al final de un brillante examen de la narrativa breve de Muñoz Molina, Andrés Soria Olmedo subraya algunos puntos de referencia fundamentales en* El dueño del secreto.

El alternar de los planos de la curiosidad y la imaginación ofrece una combinación nueva en *El dueño del secreto*. Escrito a continuación de *Nada del otro mundo*, uno de los niveles de esta narración, justamente el de crónica de costumbres, parece el prólogo implícito de *El dueño del secreto*, resuelto también en primera persona y circunscrito a lo verosímil. Sin embargo, la exclusión de lo fantástico no quiere decir que no actúe la imaginación, ni que se rompa el lazo con la tradición literaria.

Por lo que toca al primer aspecto, es obvio que el episodio vivido por el protagonista es un episodio ficticio, y que lo vive con un sentido quijotesco parecido al de la protagonista de *Northanger Abbey* de Jane Austen. Tal como aquella toma por escenarios y sucesos de las novelas góticas que ha leído lo que no son más que avatares de un noviazgo burgués, la imaginación de éste se confunde con su esperanza de asistir a un momento decisivo de la historia de España, simultáneo a la exaltación que el ejemplo portugués de la «Revoluçao dos Cravos» contagió a la izquierda española.

Por lo que toca al segundo aspecto cabría hablar en abundancia de intertextualidad.

Intertextualidad interna, en cuanto el protagonista de *El dueño del secreto* ha de ponerse en línea con Minaya de *Beatus Ille* y con el protagonista de *El jinete polaco* (¿no es este personaje otro joven de Mágina que aparece fugazmente en *El dueño del secreto*, un muchacho altanero que estudia para traductor?), el mismo que se muestra transportado a clave paródica y jocosa en *Los misterios de Madrid*.

Intertextualidad externa, en cuanto los cuatro protagonistas son variaciones sobre lo que Lionel Trilling, refiriéndose a un robusto linaje de la novela europea que comprende *Le rouge et le noir* de Stendhal, *Le Père Goriot* e *Illusions perdues* de Balzac, *Great Expectations* de Dickens, *L'Éducation sentimentale* de Flaubert y *The Princess Casamassima* de Henry James, entre otras, llama el joven de provincias. Según Trilling

> no es necesario que venga de provincias en un sentido literal, su clase social puede constituir su provincia. Pero un nacimiento y crianza provincianos sugieren la simplicidad y las grandes ilusiones con que empieza. Comienza haciendo una gran demanda a la vida y maravillándose grandemente de la complejidad y promesa que ella entraña. Es inteligente, o por lo menos despierto, pero de ningún modo astuto en los asuntos mundanos. Debe haber adquirido alguna educación, puede haber aprendido en los libros algo sobre la vida, aunque no la verdad.

Del margen al centro de la vida, del campo a la ciudad, de la adolescencia a la madurez, este tipo de héroe está entrañado, añade Trilling, «a la vez, en la leyenda y en el corazón mismo de la realidad moderna», allí donde todo lo sólido se desvanece en el aire. Los héroes de Muñoz Molina modulan esta trayectoria una y otra vez, con tonos y contextos precisos y adecuados a cada ocasión.

Dan ganas, pues, de situar al héroe de *El dueño del secreto* en una síntesis del joven triunfador de *El jinete polaco* y el desastrado y valeroso Lorencito de *Los misterios de Madrid*. Como éste, explora la ciudad; como aquél, preserva la memoria. Pero todavía se puede estrechar un poco más el cerco del diálogo con la tradición. Con aproximadamente el mismo número de páginas, el episodio que vive o cree vivir el héroe de *El dueño del secreto* es un «episodio nacional», en toda la extensión de la palabra. No hay más que abrir el libro:

> En 1974, en Madrid, durante un par de semanas del mes de mayo, formé parte de una conspiración encaminada a derribar el régimen franquista.

y correr, sin más, a *Trafalgar* de don Benito Pérez Galdós:

> Se me permitirá que antes de referir el gran suceso de que fui testigo diga algunas palabras sobre mi infancia, explicando por qué extraña manera me llevaron los azares de la vida a presenciar la terrible catástrofe de nuestra Marina.

En un aspecto más decisivo, la comparación puede establecerse entre los respectivos balances vitales.

El anciano Gabriel Araceli se representa «antiguas grandezas» (que son el programa de las dos primeras series de los *Episodios Nacionales*):

> Y el efecto es inmediato. ¡Maravillosa superchería de la imaginación! Como quien repasa hojas hace tiempo dobladas de un libro que se leyó, así miro con curiosidad y asombro los años que fueron, y mientras dura el embeleso de esta contemplación, parece que un genio amigo viene y me quita de encima la pesadumbre de los años, aligerando la carga de mi ancianidad, que tanto agobia el cuerpo como el alma [...]. Soy joven; el tiempo no ha pasado, tengo frente a mí los principales hechos de mi mocedad; estrecho la mano de antiguos amigos; en mi ánimo se reproducen las emociones dulces o terribles de la juventud, el ardor del triunfo, el pesar de la derrota, las grandes alegrías, así como las grandes penas, asociadas en los recuerdos como lo están en la vida. Sobre todos los sentimientos domina uno, el que dirigió siempre mis acciones durante aquel azaroso período comprendido entre 1805 y 1834. Cercano al triunfo, y considerándome el más inútil de los hombres. ¡Aún haces brotar lágrimas de mis ojos, amor santo de la patria!

El dueño del secreto, por su parte, lo hace público para el lector del modo siguiente:

> Un solo secreto poseí en mi vida, y lo malbaraté insensatamente, como quien logra un tesoro y lo desperdicia y lo tira y se encuentra luego con las manos vacías. Pero me doy cuenta de que ahora poseo otro, y como no era consciente de que lo tenía no he podido traicionarlo.

Nadie piensa ya en aquellos tiempos, nadie se acuerda del invierno y
de la primavera de 1974, ni de la ejecución de Puig Antich o del
nombre del húngaro o polaco al que le dieron garrote vil en Barcelona. Yo sí me acuerdo de todo: ése es mi secreto. Nadie sabe que
aún continúo añorando lo que no sucedió nunca, la revolución franca y gozosa que no llegó a triunfar, el vértigo de rodear en medio de
una multitud con puños alzados y banderas rojas a los carros de combate que no dispararon contra los balcones de la Dirección General
de Seguridad. No me quejo de mi vida, pero me pregunto cómo habría
sido la otra [...] (p. 146).

En ambos casos (*mixing memory and desire*) la memoria y la historia
rescatada sostienen el relato. Sólo que la reescritura de Muñoz Molina,
con su tácito y manifiesto homenaje a Galdós no puede tener más
que un final melancólico, como corresponde quizá a este fin de siglo.
Pero sobre todo importa el designo del homenaje. La intertextualidad
aquí es todo, salvo arqueología. Muñoz Molina se enfrenta a un pro-
blema resoluble para Galdós y embarazoso hoy, casi impronunciable:
¿qué hacer del «amor santo de la patria»? ¿Qué hacer cuando la épica liberal que Galdós había reconstruido aparecía como una quimera ahuyentada y escarnecida por la dictadura de Franco, que justo en
1974 parecía más interminable que nunca? ¿Cómo dar cuenta del valor de ese sentimiento, que en el exiliado Luis Cernuda provocaba «la
nostalgia / de la patria imposible, que no es de este mundo», a la altura de los años noventa? ¿Qué hacer con la propia dictadura, cuya
memoria parece inoportuno evocar?

La respuesta sólo puede aparecer a través del sesgo de una ironía
melancólica que —otra vez— podríamos llamar posmoderna. El cu-
rioso, ahora, se ha asomado a las vidas de toda la colectividad, y más
que nunca purga su impertinencia por haberse fiado de la imaginación y sus promesas utópicas. No le es posible creer en ese *grand rac-
cont*. Pero sí arrojar —sin énfasis, desde luego— la memoria a la cara
de sus contemporáneos desmemoriados. Quizá sea ese el margen que
hoy le queda a la política en literatura.

Andrés Soria Olmedo, «*Nada del otro mundo* (1993), *El
dueño del secreto* (1994)», en H. Felten y U. Prill, eds., *La dulce mentira de la ficción*, Bonn, Romanistischer Verlag, 1995,
pp. 175-178.

Orientaciones para el estudio de *El dueño del secreto*

1. Argumento

En *El dueño del secreto* un joven de 18 años, de nombre desconocido, narra las peripecias que le ocurrieron en 1974 al trasladarse desde su pueblo a Madrid para estudiar Periodismo. Nos cuenta que durante unas semanas participa en una conspiración que acabaría con el régimen franquista en veinte días. Un singular personaje, llamado Ataúlfo Ramiro, le invita a formar parte de la conjura y, lógicamente, le pide que guarde el secreto. Sin embargo, al poco tiempo se lo cuenta todo a un amigo, Ramón Tovar, que a su vez habría informado a otros, y por ello el protagonista cree ser el responsable del fracaso de la conspiración. Diecinueve años después sigue teniendo dudas y remordimientos por lo ocurrido, y recuerda aquellos tiempos.

Todo esto se resume en el primer capítulo de la novela. En los siguientes se desarrollan en detalle algunos recuerdos del narrador-protagonista y, al final, algunos sucesos posteriores en su vida.

— ¿Cómo se explica que el narrador nos informe tan pronto del desenlace de la novela?

---

2. El narrador

Los narradores de una novela pueden agruparse según ciertos rasgos. Quizá el más evidente de ellos es la utilización de la primera o la tercera persona (la segunda es poco frecuente). En ambos casos pueden tener diversos grados de conocimiento de los hechos que narran: por ejemplo, pueden saber lo que piensan todos los personajes, o lo que piensa sólo alguno de ellos. Pero también pueden narrar sin conocer la interioridad, la psique de ningún personaje, describiendo sólo las acciones o los lugares.

El dueño del secreto es una narración en primera persona de un personaje cuyo nombre desconocemos. Al no abundar los diálogos en la novela, el narrador es el responsable de la mayor parte de la información que recibimos.

> — ¿Deberíamos saber el nombre del protagonista? ¿Por qué no se nos dice?
> — ¿Conoce el lector lo que piensan el protagonista o los demás personajes?

La acción principal se sitúa en 1974, cuando el narrador viene a Madrid, según señalábamos, con la intención de estudiar Periodismo (actualmente, Ciencias de la Información). Estos datos son autobiográficos, según puede comprobarse en la sección inicial, «Antonio Muñoz Molina y su tiempo».

> — ¿Hay algún otro, junto a los que se señalan en las llamadas de atención **4**, **8**, **9** y **12**, que también pueda ser autobiográfico?
> — ¿Teniendo en cuenta las memorias de Muñoz Molina (documento 3), ¿podríamos decir que la autobiografía y la ficción se combinan a lo largo de la novela?

— ¿Por qué le interesa al narrador precisar el tiempo y el espacio de su narración? ¿Qué efectos consigue con ello?

Además de lo que se cuenta del año 1974, también se dan algunos datos del pasado del protagonista, sobre su vida anterior en un pueblo que tampoco se especifica. En ocasiones, especialmente en los primeros capítulos, expone alguna de sus ideas sobre diferentes temas, opiniones o conocimientos que ha adquirido en su vida en provincias, y vemos que contrastan con sus experiencias al llegar a Madrid.

— En la primera visita a la casa de Ataúlfo (véase a partir de **11**), ¿qué opinión tiene el narrador de los abogados o de los ricos?
— ¿Qué consejos recuerda de su madre?
— ¿Qué podríamos decir sobre este tipo de opiniones e ideas?

De los meses que pasa el narrador en Madrid, antes de participar en la conspiración, también conocemos algunos aspectos. Vive en una pensión, va poco a la universidad, donde prácticamente no tiene relación con sus compañeros, y tiene dificultades económicas que le hacen buscar trabajo. En muchas ocasiones esa situación contrasta con el tono humorístico que emplea el protagonista para narrar los hechos.

— El humor está presente, por ejemplo, en la anécdota comentada en **2**. ¿En qué otros lugares es claramente perceptible el humor?
— ¿Cómo se explica el contraste entre las experiencias negativas y el tono humorístico del relato?

Desde el comienzo, para explicar lo ocurrido el año 74, el
protagonista nos habla de su carácter, de su perfil psicológico,
confesándonos lo que él ve como defectos, que no puede evitar y que perduran todavía en el presente.

— En **5** se señala una ocasión en que las debilidades de
su carácter explicarían lo ocurrido. ¿Es correcto el análisis
del protagonista?
— Señálense otros lugares donde defina su personalidad,
y la corrección o incorrección de sus conclusiones.

Las relaciones personales más importantes del protagonista
son las que mantiene con Ramón Tovar, un amigo del pueblo
que también viene a Madrid, y con el mencionado Ataúlfo
Ramiro. Ataúlfo es un abogado que le contrata eventualmente
como mecanógrafo y causa una gran impresión en el protagonista. Su forma de vida, su conocimiento del mundo, hacen
que se convierta en un «maestro» del que el joven aprende un
buen número de cosas.

Ataúlfo pone en contacto al narrador con un mundo muy
diferente del que conoce en su aburrida vida de estudiante; le
trata como a un amigo, a pesar de las diferencias que les se-
paran, y, además, al darle trabajo mejora su situación económica.

— Cuando conoce a Ataúlfo, en el capítulo III, ¿qué nue-
vas experiencias tiene el narrador?
— ¿Cómo ve a su «maestro»?
— ¿Qué aprende de él?

Cuando ya tienen cierta confianza, y el protagonista ha dado muestras de su oposición al régimen de Franco, Ataúlfo le

revela que es secretario general de una organización clandestina, la Federación Anarquista Ibérica (FAI). Esta confesión sorprende al narrador y hace que reinterprete la conducta extravagante de su amigo, sus frecuentes desapariciones, y le vea como un héroe de la lucha en la clandestinidad contra el franquismo.

> — ¿Es correcta la interpretación del narrador?
> — ¿Tiene pruebas de la personalidad heroica de su «maestro»?

Mientras que el narrador nos confiesa que a los 18 años es virgen, Ataúlfo está casado, pero, según parece, mantiene relaciones con otras mujeres.

> — ¿Qué sabemos de las relaciones amorosas del protagonista?
> — ¿Qué opina del comportamiento de Ataúlfo?

El punto culminante en el relato, según apuntábamos, se produce cuando Ataúlfo invita al joven a sumarse a una conjura que derribará el régimen franquista en pocos días. Hay que recordar que durante el franquismo el control oficial de la información hacía que circulara todo tipo de rumores sobre la vida política. Pero también, en los meses en que se sitúa la novela, el ministro Pío Cabanillas, uno de los más claros aperturistas del gobierno de Arias Navarro, intentaba cambiar esa situación y lograr una mayor libertad para los medios de comunicación.

> — Teniendo esto en cuenta, ¿sería verosímil la «conspiración» que se expone en detalle en el capítulo VI?

— ¿Son convincentes para el narrador las explicaciones de
Ataúlfo?
— Frente a las dudas que el narrador manifiesta en el capítulo I (veáse **6**), ¿hay alguna prueba que verifique la realidad de esa conspiración?

Las labores que le encomienda Ataúlfo en la conspiración son
las de mensajero; el protagonista se imagina llevando sobres,
bombas, y piensa en lo que ocurrirá cuando cambie el régimen político, en el probable papel que desempeñaría su amigo en un nuevo Gobierno.

— ¿Cómo puede interpretarse el comportamiento del protagonista a partir de aquí?
— ¿Son realistas sus ideas sobre el futuro? Coméntese su
intención de avisar a su novia, a sus padres, etcétera.
— ¿Es aceptable su interpretación de la realidad, de las noticias en los periódicos, de la actuación de otros personajes?

Su primera misión, al final del capítulo VII, después de una
extraña escena en casa de Ataúlfo, es llevar una carta a un
club próximo a la Gran Vía. La carta va dirigida a una mujer
llamada «Nati».

— ¿Es importante aquí el punto de vista desde el que se
narran los hechos?
— ¿Cuál podría ser el contenido de la carta?

En el capítulo VIII, tal y como se había advertido en el comienzo, el narrador le revela el secreto a su amigo Ramón
y nos dice, excusándose, que había bebido cierta cantidad de

alcohol, especialmente orujo, una bebida que afecta mucho a sus facultades.

> — ¿Son suficientes sus explicaciones?
> — ¿Qué podríamos decir del diálogo que mantienen, de las respuestas del narrador a las objeciones de Ramón sobre la conspiración?
> — ¿Está justificada la reacción posterior del protagonista?

En una fugaz aparición, la novia maoísta de Ramón le informa al narrador de que la policía ha desarticulado a su grupo, y los dos amigos deciden huir de Madrid: Ramón a Barcelona y el protagonista a casa de sus padres, en su pueblo natal. Después, el último capítulo de la novela resume el final de su aventura y nos sitúa en el presente, diecinueve años después de aquellos hechos. El narrador nos da alguna información sobre su vida actual, su trabajo y su familia, y reflexiona sobre lo que supuso para él aquella estancia en Madrid.

> — ¿Qué podemos decir de la situación actual del protagonista? ¿Qué relaciones mantiene con su mujer y con sus hijos?
> — ¿Ha evolucionado con el transcurso de los años?
> — ¿Es importante el «otro secreto» que guarda?
> — ¿Por qué recuerda en las últimas líneas a la mujer del club Azul?

Finalmente, no podemos terminar este breve examen de la voz narrativa sin referirnos al lenguaje que emplea a lo largo del texto. Sabemos que la forma es inseparable del contenido, y así podemos ver que algunos recursos lingüísticos dan el mencionado tono humorístico al relato. Recordemos que, por

ejemplo, en el comienzo del capítulo III, cuando el narrador
tiene que coger un taxi por primera vez en su vida, nos dice
que se ve como «un potentado» y que llama al taxi «con la
torpe ineficacia de los principiantes, sin garbo, sin autoridad,
sin precisión, de cualquier modo», a diferencia de su amigo
Ataúlfo, «que llamaba a los taxis como nadie, con una autoridad de resultados fulminantes, citándolos desde lejos con gallardía taurina».

— ¿Qué puede decirse del lenguaje utilizado en el párrafo citado anteriormente?
— Analícese el léxico, la sintaxis y las figuras retóricas de
esta y alguna otra sección de la novela.
— Teniendo en cuenta lo que se dice en la Introducción
acerca del estilo de Muñoz Molina, coméntese el lenguaje
empleado en la novela.

3. Los personajes

3.1. *Ataúlfo Ramiro*

Ya hemos visto que, junto al narrador, los dos personajes
más importantes son Ataúlfo Ramiro y Ramón Tovar, y que
lo que sabemos de ellos y de los demás personajes depende
en gran medida del narrador. Pero hay que recordar también
que en ocasiones un narrador puede contradecirse, y que su
opinión puede contrastar con lo que dice el personaje en los
diálogos, con su actuación o con las opiniones de otros personajes.

— ¿Cuántas voces oímos en la novela?
— ¿Tienen peculiaridades expresivas que las singularicen?

> — ¿Contradicen en alguna ocasión la visión de los hechos
> que tiene el narrador?

Resumiendo parte de lo ya comentado, podemos decir que Ataúlfo ejerce en la novela como «maestro» el narrador, y que por ello *El dueño del secreto* puede verse como una «novela de aprendizaje», en la que se nos muestra una trayectoria personal (véase el comentario de Andrés Soria Olmedo, documento 7). Se nos presentan las experiencias del protagonista desde su llegada a la gran ciudad, su aprendizaje y la influencia en él de su «maestro».

En alguna ocasión el narrador nos describe físicamente a Ataúlfo y nos señala algunos rasgos característicos, su forma de vestir y sus costumbres, como su capacidad para fumar y beber con una sola mano.

> — ¿Qué podemos decir de esos rasgos?
> — ¿Vemos objetivamente al personaje al decirse que tenía «una tripa poderosa de cervezas y whiskies»?
> — ¿Qué otros datos amplían nuestro conocimiento del personaje?
> — ¿Hay algo en su conducta que impida al narrador decirnos el verdadero nombre de Ataúlfo?

Vemos que las enseñanzas del «maestro» tratan los más diversos temas, y que algunas de sus opiniones resultan chocantes; por ejemplo, en el capítulo V dice que los cigarrillos previenen el infarto y el alcohol mejora la circulación sanguínea.

> — ¿Cómo definen esas ideas al personaje?
> — ¿Hay algún nuevo dato que contradiga su caracterización inicial?

— El «discipulo» lo define como «espléndido pero arbitrario». ¿En qué se basa esa opinión?

Las ideas políticas del personaje no aparecen muy detalla-
das. Sabemos que es anarquista, dice que milita en una organización clandestina, pero algunas de sus afirmaciones sorprenden al narrador. Ataúlfo, sabiendo que el narrador ha
participado en una manifestación ilegal contra el régimen, es
quien le invita a tomar parte en la conspiración.

— ¿Qué podemos decir de la participación de Ataúlfo en
la conjura?
— ¿Supone su visión de los hechos una perspectiva distin-
ta de la del narrador?
— ¿Cuenta algo Ataúlfo de lo que no haya sido testigo el
protagonista?
— Coméntese lo que dice y hace el personaje en sus últimas apariciones.

Su mujer y otros personajes tienen opiniones sobre Ataúlfo
que no parecen coincidir con las del protagonista.

— ¿Qué opina de la ideología de Ataúlfo su mujer?
— ¿Qué otros personajes opinan sobre él?
— En el prólogo a la edición portuguesa de esta novela,
Muñoz Molina afirma que realmente conoció en Madrid a
un personaje que le hizo creer que participaba en una conspiración para derribar al régimen. ¿Cambia este hecho nuestra percepción del personaje?

3.2. *Ramón Tovar*

Ramón Tovar viene también a Madrid, pero su intención no es estudiar sino buscar trabajo y encontrar un porvenir mejor que el que tenía en su pueblo. Así, mientras Ataúlfo desempeña el mencionado papel de «educador» del protagonista, en un plano superior a él, la figura de Ramón se sitúa en el mismo plano y sirve de contraste a la trayectoria y los puntos de vista del narrador. Ambos provienen del mismo pueblo, donde habían compartido sus experiencias juveniles.

> — ¿Qué se nos dice de la vida de Ramón en el capítulo I?
> — ¿Cómo se le describe?
> — ¿Afecta a nuestra visión del personaje que se le denomine muchas veces «Ramonazo»?
> — ¿Cómo podríamos definirle?
> — ¿Puede decirse que Ramón mantiene, a lo largo de la novela, una visión de los hechos narrados distinta de la del protagonista?

Cuando llega Ramón a la pensión madrileña en que vive el protagonista, éste, aunque en algunas cartas su amigo le había anunciado su llegada, se muestra sorprendido. Luego comprobaremos que la reacción inicial de ambos ante la gran ciudad es diferente.

> — ¿Qué impresión le causa Madrid a Ramón? ¿Cómo actúa?
> — ¿Cómo son sus experiencias posteriores?

Ramón comparte con el narrador una ideología izquierdista, por la que ambos desean el final del franquismo; pero ya en el capítulo inicial se dice de él que es un «converso reciente al maoísmo».

— ¿En qué se diferencia la ideología de Ramón de la de su amigo?
— ¿Mantienen ambos siempre la coherencia en el terreno ideológico?

El lenguaje que emplea Ramón resulta singular y se diferencia de otros que aparecen en la novela. Le escuchamos, por ejemplo, en el diálogo del capítulo V, opinando sobre los estudiantes y los intelectuales.

— ¿Cómo podría definirse la manera de hablar de Ramón?
— ¿Qué expresiones suyas son características?
— Compárese su lenguaje, el vocabulario que emplea, con el de otros personajes.

Al final del capítulo V se conocen Ataúlfo y Ramón en una cita que había concertado el narrador, pero a pesar de los esfuerzos de éste el encuentro no resulta muy agradable.

— ¿Cómo explicar el comportamiento de Ramón y Ataúlfo?
— ¿Se debe a sus diferencias ideológicas?

No obstante, Ramón conseguirá su primer trabajo en Madrid, como mecánico, gracias a Ataúlfo.

— ¿Qué podemos decir de la reacción de Ramón al perder el trabajo? ¿Qué supone para él el desempleo?

— ¿Cambia el personaje posteriormente, cuando consigue el trabajo en una pista de coches de choque?

El protagonista, según hemos visto, no tarda mucho en contar a su amigo lo que sabe respecto a la conspiración, y tampoco en esta ocasión Ramón reacciona como el narrador preveía.

— ¿Está de acuerdo Ramón con los objetivos de la conspiración?
— ¿Son lógicas sus objeciones? ¿En qué se diferencian la conversación del capítulo VIII entre Ramón y el protagonista y la que este último mantiene con Ataúlfo en el VI?
— Coméntese la actuación posterior de Ramón.

Al final de la novela, cuando se resume la situación en que se encuentran los personajes casi veinte años después, se nos dice que Ramón está casado, vive en Valencia y ha progresado profesionalmente.

— ¿Qué podemos decir de la vida actual de Ramón, en comparación con el pasado? ¿Ha evolucionado?
— ¿En qué se diferencian la trayectoria de Ramón y la del protagonista?

3.3. *Otros personajes*

Los demás personajes de la novela son secundarios, es decir, no son centrales en la acción, pero ello no quiere decir que sean superfluos. Nos fijaremos brevemente en algunos de ellos.

Hay un personaje que resulta interesante si tenemos en cuenta otra novela de Muñoz Molina, concretamente *El jinete polaco*. En *El dueño del secreto* aparece un joven, paisano del narrador, que estudia idiomas y luego se hará traductor, y que es quien le pone en contacto con Ataúlfo. Andrés Soria ha señalado acertadamente (documento 7) que por los datos citados este personaje sería el protagonista de *El jinete polaco*.

— ¿Cómo puede interpretarse esa reaparición del personaje?
— Si tenemos en cuenta que *El jinete polaco*, según se ha dicho, también presenta un claro componente autobiográfico, ¿cómo puede interpretarse la aparición en *El dueño del secreto* de dos personajes autobiográficos?

En el capítulo III el narrador conoce a Ataúlfo en una comida con otras personas en un prestigioso restaurante madrileño. Entre los comensales hay dos que le llaman la atención: un sacerdote y una mujer.

— ¿Por qué el clérigo le resulta chocante al narrador?
— ¿Qué puede decirse de la mujer?

Aunque se la menciona en varias ocasiones y habla con el protagonista en el capítulo II, no sabemos demasiado sobre la mujer de Ataúlfo.

— ¿Qué podríamos decir sobre ella?
— ¿Qué función desempeña?

Otros personajes aparecen brevemente, o sólo se les menciona, pero cumplen diferentes funciones.

— Por ejemplo, ¿qué sabemos del padre de Ramón?
— ¿Y de su novia «prochina»?
— ¿Qué función cumplen ambos?

Finalmente, ya hemos hablado de la mujer, llamada Nati, a la que el protagonista tiene que llevar la carta de Ataúlfo, en uno de los últimos capítulos.

— ¿Qué sabemos de este personaje?
— ¿Sabemos algo de ella que no haya contado el narrador?

---

4. El espacio

Ya se ha señalado que la narración se sitúa casi completamente en Madrid, y que la visión que se nos da de esta ciudad es la de un joven de provincias que por primera vez vive en una gran urbe. Andrés Soria Olmedo subraya que la llegada de un joven de provincias a la gran ciudad se da en algunas importantes novelas del siglo XIX (véase documento 7). Ahora bien, aquí la información de que disponemos sobre el lugar de procedencia es mucho menor que la relativa al de destino.

— ¿Por qué no se dice el nombre del pueblo del protagonista?
— ¿Podemos decir algo sobre su localización?
— ¿Aparecen otras referencias geográficas?

Aunque las calles y lugares de Madrid no aparezcan descritos en detalle, son mencionados en múltiples ocasiones de manera muy precisa: por ejemplo, la calle Quintiliano, donde vive Ataúlfo, está efectivamente cerca de la Avenida de América; también puede comprobarse que desde el piso superior de la cafetería La Mallorquina se domina la entrada del antiguo edificio de la Dirección General de Seguridad, en la Puerta del Sol.

Los espacios en que tienen lugar hechos importantes del relato pueden estar descritos más o menos detalladamente o sólo mencionarse. Así se nos dice, por ejemplo, que el protagonista vive en una habitación de una pensión.

— ¿Qué podríamos decir de esa habitación?
— ¿Se describe el resto de la pensión, el edificio? ¿Por qué?
— ¿Las descripciones se refieren sólo a elementos visuales o se incluyen también otros: auditivos, olfativos?

Entre los primeros lugares que se describen están el despacho de Ataúlfo, en el capítulo II, y el restaurante en el que el narrador conoce a este personaje, en el capítulo III. Hay además otros lugares que conoce por su relación laboral y amistosa con Ataúlfo.

— ¿Qué detalles se seleccionan en las descripciones del despacho y del restaurante?
— ¿Cuándo se describen esos lugares, antes o durante la narración de los hechos?
— ¿Se describen otros lugares que conoce el protagonista con su «maestro»?
— Explíquese la situación en el relato de alguna descripción.

En la universidad, donde suponemos que un estudiante de primer año de carrera pasaría cierto tiempo, sólo se presentan en detalle el intento de manifestación y la persecución de la policía del capítulo IV. Por otro lado, se nos dice que muchos días el protagonista pasea por las calles de la ciudad, por la Gran Vía, la Plaza de España, y quizá el color que predomina en las descripciones de esos espacios abiertos es el gris.

— ¿Por qué sólo hay una breve descripción de la universidad en la manifestación estudiantil?
— ¿Qué impresión nos causan las descripciones en torno a ese suceso?
— ¿Es significativo el color gris del ambiente madrileño?

El narrador nos dice que recorre con Ataúlfo la ciudad, y que éste le señala los lugares donde se produjeron combates durante la guerra civil.

— ¿Influyen las historias de Ataúlfo en la percepción del espacio?

Junto a sus amigos Ataúlfo y Ramón, el protagonista frecuenta un buen número de bares y restaurantes.

— ¿Cómo son esos bares y restaurantes?
— ¿Qué se describe de ellos? ¿Hay alguna descripción pormenorizada?
— ¿Son lugares que normalmente conocería un joven de 18 años?

En el último capítulo el narrador ya está de vuelta en su pueblo natal y se explicita que desde ese lugar recuerda su pasado.

— ¿Se describe algún sitio que no apareciera antes?
— ¿Es importante el espacio en las páginas finales?

Finalmente, en **23** se señala un párrafo en que una descripción (el protagonista dirigiéndose hacia el auricular oscilante telefónico) procede de una imagen característicamente cinematográfica.

— ¿Hay otras descripciones cinematográficas en la novela?
— ¿Hay alguna que pueda relacionarse con la pintura?

---

5. El tiempo

El tiempo, indisolublemente unido al espacio narrativo, es una categoría fundamental en la novela. Tenemos que precisar que nos interesan dos temporalidades diferentes: 1. El tiempo de la «historia»: es el de la sucesión cronológica de acontecimientos que podemos fechar en distintos momentos (en *El dueño del secreto* sabemos el orden en que se suceden los hechos: la llegada del narrador a Madrid, la visita a casa de Ataúlfo, la comida en que conoce a este personaje, etc.); 2. El tiempo del discurso, que es la represensación narrativa del tiempo de la historia, el que aparece realmente en el texto, es decir, el tiempo intrínseco de la narración (en nuestro caso, en el primer capítulo se nos informa del fracaso de la conspiración, y luego sabremos quién es Ataúlfo, que este personaje invita al narrador a participar en ella, etcétera).

En primer lugar, con respecto al tiempo de la historia en *El dueño del secreto* tenemos que hacer referencia al marco cronológico de los acontecimientos. Ya hemos apuntado que se sitúan en los primeros meses de 1974, y la conspiración, en dos semanas de mayo del mismo año. Hay que recordar que pocos meses antes había sido asesinado el almirante Carrero Blanco, y que ese período es visto por muchos como el comienzo de la transición a la democracia.

Además encontramos algunos puntos de referencia importantes en la narración. El primero de ellos, según señala el autor en el prólogo a la edición portuguesa de la obra (véase documento 1), es la Revolución de los Claveles, que terminó con la dictadura en Portugal. Tal y como se comenta en el primer capítulo, este hecho despertó grandes esperanzas en aquellos que deseaban la desaparición del franquismo: su proximidad, el que militares y civiles hubieran acabado de manera pacífica con un régimen más antiguo que el español, mostraba que lo que parecía imposible podía suceder en pocas horas.

Otro punto de referencia, en este caso negativo, es el del golpe de estado en Chile, que en septiembre de 1973 había terminado con el gobierno constitucional de Salvador Allende.

— ¿Es menos importante esta referencia histórica?
— ¿Hay otras referencias a acontecimientos o personajes históricos?
— ¿Ha variado, con el paso de los años, el significado de esos momentos históricos?

Los detalles con los que se recrea el ambiente de aquellos años, dando espesor a la referencia histórica, se acumulan desde el primer capítulo. Así, en efecto, según se dice en el comienzo, el general Antonio de Spinola, que fue el primer presidente del Portugal democrático, llevaba un monóculo.

> — ¿Qué detalles, a lo largo de la novela, nos indican que la acción se desarrolla a mediados de los años 70?

Los hechos más importantes a partir del capítulo II se suceden linealmente, de manera que podemos reconstruir con bastante precisión su cronología: llegada a Madrid, cena en el restaurante con Ataúlfo (aproximadamente el 16 de febrero, fecha que figura en el contrato que mecanografía el protagonista), llegada de Ramón Tovar (a finales de marzo), conspiración en mayo, etcétera.

> — ¿Se dan otras indicaciones temporales?
> — ¿Hay otras referencias a períodos de tiempo, como estaciones, meses, días de la semana, horas? ¿Qué significado tienen?
> — ¿Podemos precisar la cronología de todos los sucesos?

Según se ha señalado, si el tiempo de la historia es el que el lector puede deducir de los datos que suministra una narración, y el del discurso es el que encontramos en el texto. En este último hay que tener en cuenta tres aspectos:

1. El orden; el orden en que se suceden los acontecimientos en la narración puede no coincidir con el orden de la historia. En *El dueño del secreto*, según se ha señalado, el narrador adelanta el resultado de la conjura al comienzo del texto. A esta ruptura la podemos denominar «anticipación» o anacronía hacia el futuro. Pero, en general, en cualquier novela es más frecuente que se den anacronías hacia el pasado, «retrospecciones», que nos informan de algún hecho relevante del pasado o de la vida de los personajes; por ejemplo, en la novela que analizamos se produce una cuando el protagonista recuerda su despedida de Ramón, en el pueblo, antes de marcharse a Madrid.

— Señálense otras retrospecciones en la novela.
— ¿Son breves o extensas?
— ¿Se refieren al pasado inmediato o remoto?
— ¿Qué período de tiempo abarcan: años, días, horas?
— ¿Qué función cumplen? ¿Hay alguna que sea importante?

2. La duración; depende de la cantidad de espacio que la narración dedica a los hechos. Así, en un diálogo el tiempo de la historia coincide con el del discurso, tienen la misma duración. Pero es más frecuente que no coincidan, y así ocurrirá en la «elipsis» (cuando sabemos que ha ocurrido algo pero no se narra), en el «resumen» (cuando se resumen en una frase, o en unas líneas, días, meses o años en la vida de un personaje) y en la «pausa descriptiva» (cuando se describen personajes o espacios). La velocidad, lógicamente, es máxima en las elipsis, variable en los resúmenes y mínima o nula en las pausas descriptivas.

— Además de los diálogos marcados gráficamente en la novela, ¿hay otros que reproduzca el narrador?
— ¿Coinciden en esas reproducciones el tiempo de la historia y el del discurso?
— ¿Hay algunas secciones en que abunden las elipsis?
— ¿A qué puede deberse esto?
— Los resúmenes abundan, especialmente en el primer y último capítulos. Compárense, indicando si abarcan un breve o un largo período de tiempo, si son detallados, etcétera.
— Y en cuanto a las pausas, ¿son numerosas?
— ¿Retardan el ritmo de la narración?

3. La frecuencia; es importante también que veamos las relaciones entre la frecuencia de los hechos en la «historia» y la

frecuencia de la narración de esos hechos. Así, un suceso que ocurre una vez puede contarse una vez, o un suceso que ocurre dos veces se cuenta el mismo número de veces. Pero además hay otras posibilidades: contar varias veces lo que ocurre una sola vez, y contar una sola vez lo que ocurre en diversas ocasiones.

— ¿Algún suceso se narra varias veces?
— ¿Hay casos en que se cuente una sola vez alguna acción habitual o algo que ocurriera muchas veces?
— ¿Qué efecto se consigue con ello?

En este apartado también tenemos que hacer referencia a los tiempos verbales del relato. Evidentemente, abundan los tiempos pasados.

— ¿Se utilizan presentes y futuros?
— ¿Con qué finalidad se utilizan? Compárense, por ejemplo, los tiempos de algún diálogo con los que utiliza el narrador.
— Analícense los tiempos que se emplean en el relato de la manifestación estudiantil del capítulo IV.

Finalmente, ya se ha señalado que la distancia temporal que separa los hechos narrados del presente desde el que se narra es fundamental para la compresión de la novela. El narrador, al aludir a esa distancia, de diversas maneras, expresa su vivencia del tiempo, su experiencia personal, que no coincide con el tiempo objetivo que miden los calendarios.

— ¿Dónde percibe el lector la experiencia temporal del narrador?

— ¿Es similar a la experiencia del tiempo de cualquier persona?

6. Cuestiones de síntesis

Tanto el título como las citas que encabezan una obra literaria suelen ser importantes en el proceso de su interpretación.

— ¿Cómo debe interpretarse la cita de Francisco Ayala que encabeza *El dueño del secreto*?

En la entrevista que aparece en la sección de Documentos (n.º 2), Antonio Muñoz Molina afirma no sentir nostalgia de su vida durante los años que aparecen reflejados en *El dueño del secreto*.

— ¿Se refleja esa actitud en el texto?
— ¿Hay algún aspecto que resulte crítico de la sociedad, las costumbres y las mentalidades de aquellos años?

El narrador-protagonista afirma algunas veces que vive en un estado de irrealidad, o que la combinación de la falta de comida y el alcohol que ingiere afecta a su percepción de la realidad.

— ¿Es creíble lo que alguien nos cuenta en esos estados?
— ¿Influiría esto en los hechos narrados?

Ataúlfo y Ramón son, junto al narrador, los personajes que mejor conocemos.

— ¿Hacia qué personaje siente simpatía el lector?
— ¿Podría decirse de alguno de ellos que encarna un tipo?

El espacio en las narraciones de Muñoz Molina no suele centrar la atención del relato, sino que suele depender de los personajes, de su percepción, según decíamos en la Introducción respecto a *El invierno en Lisboa* y otras novelas del autor.

— ¿Qué importancia tiene el espacio en *El dueño del secreto*?
— ¿Es un mero decorado en el que se desarrolla la acción?

En la temporalidad de la novela, según se ha señalado, resulta fundamental la existencia de un presente, 19 años después de los hechos narrados.

— ¿Qué cambiaría en la novela si su narración se llevara a cabo sólo unos meses después de ocurrir los hechos?

El humor impregna muchas secciones de la novela y, claro está, afecta a nuestra respuesta como lectores.

— ¿Cómo influye el humor en nuestra interpretación del texto?

SE TERMINÓ DE IMPRIMIR ESTA EDICIÓN
EL DÍA 4 DE DICIEMBRE DE 1997.

LAUS DEO

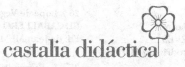

castalia didáctica

TÍTULOS PUBLICADOS